OS MEUS ROMANOS

OS MEUS ROMANOS

ALEGRIAS E TRISTEZAS DE UMA EDUCADORA ALEMÃ NO BRASIL

Tradução de Alice Rossi e Luisita da Gama Cerqueira

Prefácio de Keila Grinberg
Apresentação de Antonio Callado

7ª edição

Paz & Terra
Rio de Janeiro | São Paulo
2017

© Editora Paz e Terra

Título original: *Leid und Freud' einer Erzieherin in Brasilien.*

1ª edição Anhembi, 1956
1ª edição Paz e Terra, 1980

Design de capa: Estúdio Insólito
Imagem de capa: *La promenade dans la forêt* [O passeio na floresta], de Henri Rousseau, c. 1886. DEA PICTURE LIBRARY/Getty Images.

Todos os direitos reservados. É proibido reproduzir, armazenar ou transmitir partes deste livro, através de quaisquer meios, sem prévia autorização por escrito.

Texto revisado segundo o novo Acordo Ortográfico da Língua Portuguesa.

Direitos desta tradução adquiridos pela
EDITORA PAZ E TERRA
Rua do Paraíso, 139, 10º andar, conjunto 101 – Paraíso
São Paulo, SP – 04103-000
http://www.record.com.br

Seja um leitor preferencial Record.
Cadastre-se e receba informações sobre nossos lançamentos e nossas promoções.

Atendimento e venda direta ao leitor:
mdireto@record.com.br ou (21) 2585-2002

CIP-BRASIL. CATALOGAÇÃO NA FONTE
SINDICATO NACIONAL DOS EDITORES DE LIVROS, RJ

B511m
7ª ed.

Binzer, Ina von, 1856-1916
Os meus romanos: alegrias e tristezas de uma educadora alemã no Brasil / Ina von Binzer; tradução de Alice Rossi e Luisita da Gama Cerqueira; prefácio de Antonio Callado; posfácio de Keila Grinberg. – 7ª ed. – Rio de Janeiro/São Paulo: Paz e Terra, 2017.

240 p.: il.; 14 cm.

Tradução de: Leid und Freud einer Erzieherin in Brasilien

ISBN 978-85-775-3375-6

1. Binzer, Ina von, 1856-1916. 2. Rio de Janeiro (RJ) – Usos e costumes. 3. São Paulo (SP) – Usos e costumes. 4. Gênero. 5. Educação. I. Cerqueira, Alice Rossi e Luisita da Gama. II. Título.

17-43028

CDD: 923.7
CDU: 929.37

Impresso no Brasil
2017

Sumário

Prefácio à 7ª edição – Keila Grinberg ... 7

Apresentação – Antonio Callado ... 11

Cartas ... 15

Nota da editora – Sobre as edições de *Os meus romanos* no Brasil ... 227

Prefácio à 1ª edição brasileira – Paulo Duarte ... 231

Prefácio à 7ª edição

Keila Grinberg

> "Você vê, minha Grete, como a poesia está crivada de dificuldades e como um idílio aqui é perturbado todo o tempo?"

"Assim, vai-se perdendo uma ilusão após outra", escreveu a jovem professora alemã Ina von Binzen à sua amiga Grete, na primeira das deliciosas cartas que enviou do Brasil pouco após a sua chegada. Corria o ano de 1881, e eram muitas as desilusões com o país que ela apenas começava a conhecer.

Ina decepcionava-se com a comida gordurosa, com o colchão desconfortável (forrado de gravetos), com os atrasos recorrentes ("pois no Brasil quem se revela muito pontual não deve estar regulando bem"), com as escolas ("até agora não pude descobrir um programa de estudo e muito menos um horário; por enquanto, tudo me causa a impressão de caos num deserto"), com os homens ("passear pelas ruas é um suplício, devido à excessiva cortesia dos homens"), com o falatório generalizado ("Dão a vida por falar, mesmo quando é para não dizer nada"). Ela era crítica, mas seus relatos nada tinham de amargos: aventureira, bem-humorada, observadora, irônica ("Serei tão inflexivelmente germânica que não possa achar esses latinos espirituosos ou interessantes?"), ela compôs um fascinante e minucioso painel da vida patriarcal brasileira nos últimos anos de vigência da escravidão no país.

Ina von Binzen passou três anos entre Rio de Janeiro e São Paulo. Aos 22 anos, contratada para educar sete dos doze filhos de uma família no interior do Rio de Janeiro, ela também trabalhou em um colégio de moças, na residência de uma tradicional família paulistana e em uma fazenda de café no interior da província. Retornou à Europa em 1884, e estava tão apaixonada pelo misterioso Mr. George Hall que até com o Brasil começou a encantar-se ("Ach! Grete! Estou tão contente!/ E o Brasil até que é bem bonito").

Não sabemos o que foi feito de Mr. Hall. Já de volta à Alemanha, Ina acabou casando-se com o juiz de comarca Adolf von Bentivegni e dedicou sua vida a escrever. Suas cartas, publicadas em 1887 em alemão como *Tristezas e alegrias de uma professora no Brasil – romance humorístico em cartas,* foram publicadas pela primeira vez em português pela editora Anhembi em 1956 e, já com o título *Os meus romanos,* foram reeditadas pela Paz e Terra em 1980. Dos prefácios às edições anteriores, escritos por Paulo Duarte e Antonio Callado, há poucas informações a acrescentar. Continuamos sabendo quase nada sobre a vida de Ina von Binzen, sobre os motivos que a levaram a tentar a sorte no Brasil, sobre sua experiência aqui para além do que ela mesma descreveu, sabe-se lá com que dose de ficção.

Nos últimos anos, sua obra vem sendo analisada por estudiosos da história da educação no Brasil, da experiência da mulher em fins do século XIX e do cotidiano nas fazendas de café do Vale do Paraíba. A mim, salta aos olhos sua descrição do comportamento escravocrata da elite senhorial brasileira, que, mesmo às vésperas da abolição ("a emancipação dos escravos se aproxima a passos largos"), continua agindo como se fosse natural que suas alunas, tal qual pequenas senhoras, ganhassem presentes vivos, crianças como elas.

Ina von Binzen expressa as ambiguidades e os dilemas de quem olhava a escravidão desde o estrangeiro e passou a conviver com ela de dentro da casa-grande. A certa altura, comentando a suposta generosidade dos senhores que libertavam seus escravos, ela escreve: "como já estou ouvindo vocês resmungarem: 'Mas isso é mais que justo!', respondo-lhes: 'Na Europa eu pensaria assim também; mas aqui somos obrigados a mudar de opinião.'" Mais do que mudar de opinião, a jovem professora, ao pedir à amiga que não a julgue "uma desapiedada partidária da escravidão", passa a genuinamente interessar-se pelo assunto, confrontando as opiniões dos fazendeiros liberais – com quem quase sempre se identifica–, com sua própria vivência nas fazendas, onde vê com estranheza as atitudes senhoriais de desprezo à educação e ao trabalho.

Assim como seus patrões, Ina vê com receio a possibilidade da abolição imediata da escravidão e compartilha seus temores de que a ela se seguirá a ruína do Brasil. Ao mesmo tempo, tem dificuldades em entender por que ninguém se preocupa em ensinar os libertos a ler e a escrever, se serão eles as próximas gerações a trabalhar no país, e por que "O brasileiro [...] despreza o trabalho e o trabalhador. Ele próprio não se dedica ao trabalho, se o pode evitar, e encara a desocupação como um privilégio das criaturas livres." Seu olhar de estrangeira expressa a surpresa com a possibilidade de existir uma sociedade em que a escravidão seja "uma verdadeira chaga" e em que "os pretos representam o papel principal".

Não restam dúvidas de que o Brasil encontrado por Ina von Binzen era em tudo diferente daquele que imaginou quando saiu da Alemanha. Ela referia-se aos insetos que não a deixavam em paz na casa de praia em Santos quando observou à sua querida Grete como aqui "a poesia está crivada de dificuldades", mas bem que o comentário poderia ser lido como sua própria metáfora do país: nesta sociedade profundamente hierárquica e escravista que Ina von Binzen conheceu, não havia idílio algum.

Apresentação

Antonio Callado

Este livrinho, composto de cartas, levemente romanceado, escrito por uma preceptora alemã menos erótica – pelo menos declaradamente – mas tão interessante quanto a Fräulein de Mário de Andrade em *Amar, verbo intransitivo*. O livro foi publicado em português pela Editora Anhembi em 1956. Ainda guardo meu exemplar e cito Ina de vez em quando. Escrito uns poucos anos antes da abolição da escravatura, *Alegrias e tristezas* é uma espécie de álbum de fotografias da classe abastada brasileira no instante em que se convencia, contrafeita, de que em breve não haveria mais no Brasil nem Nhonhôs nem Iaiás.

Ina sentia que o regime de trabalho escravo chegara ao fim. Por convicção, ou por simples vergonha, o fato é que ninguém mais apoiava e defendia a instituição extinta praticamente no mundo inteiro. Mas exatamente por isso se assombrava de ver que ninguém pensava no que fazer com os negros depois de libertá-los. Assinando as cartas com seu pseudônimo literário de Ulla, vivia Ina a exclamar *"ach"* quando escrevia à amiga Grete. Ela achava que o brasileiro "ele próprio não se dedica ao trabalho, se o pode evitar, e encara a desocupação como um privilégio das criaturas superiores. Como esperar que o escravo, criado em animalesca ignorância, mas dentro dessa ordem de ideias, seja capaz de adquirir outras por si, formando sua própria filosofia?". Adiante observa: "Um parente muito rico do Sr. de Sousa libertou todos os seus pretos que eram cerca de 300 e substituiu-os à custa de enormes despesas por colonos da Suíça e do Tirol. Esse não é um caso isolado."

Mas nem tudo em Ina-Ulla são sociologias, nem todas as suas farpas têm como alvo os brasileiros. A preceptora de 20 e poucos anos também sabe rir de si mesma e de uma rigidez teutônica da qual tentava se libertar. No famoso episódio dos carnavalescos cariocas a encharcá-la com limões de cheiro e bisnagas d'água, Ina, que ia ao dentista (na rua dos Ourives, atual Miguel Couto) arrancar um dente do siso, chega ao consultório tão perturbada que o dentista lhe propõe adiar a extração. E Ina: "Não, ao contrário! – exclamei, com renovada energia. Preciso descarregar minha raiva em qualquer coisa e será em mim mesma. Arranque. Arranque!"

E às vezes os próprios europeus – ach, *Grete!* – são estranhos. Ina se apaixona, nas últimas páginas do livro, por um inglês, Mr. Hall, a ponto de assinar sua derradeira carta como Ulla Hall. Mas não nos conta como conseguiu fazer Hall falar. Durante uma longa viagem até Santos, ele nada disse. Finalmente chegaram. Hall a fitou com olhos azuis fascinantes. Segurou-lhe a mão. Em seguida, "exclamou um rápido '*good night*' e mostrou-se tão mal-educado que disparou antes mesmo que eu tivesse aberto a porta".

De outra vez que se encontra com Hall, Ina está molhada de chuva, suja de terra e descabelada pela sua obstinação em carregar, ou tentar carregar, numa charrete, uma "desalmada" melancia que cai do seu colo o tempo todo.

Mas estou positivamente chovendo no molhado, já que esta edição do livro de Fräulein publica de novo o prefácio original de Paulo Duarte, que é irretocável. Paulo captou o espírito da jovem preceptora de forma definitiva. O que posso acrescentar aqui é que, como estive na Alemanha pouco depois de ler *Alegrias e tristezas*, fui até a Ibero-Amerikanische Bibliothek, em Berlim, em busca de mais informações sobre a autora. Entrei em contato com o diretor da biblioteca, Dr. Hermann B. Hagen, que, não encontrando de pronto referências a Ina, me escreveu a seguir uma carta da qual, na época, enviei cópias a Paulo Duarte, na sua revista *Anhembi*.

Além do verbete sobre Ina que encontrou no *Dicionário de poetas e prosadores*, de Franz Brümmer, verbete que transcrevo a seguir, o Dr. Hagen informava ainda em sua carta:

Só não me foi possível averiguar em que ano faleceu Ina von Binzer (depois do casamento Ina von Bentivegni). Foi provavelmente no ano de 1916.

Eis o verbete, com indicação completa do título do dicionário:

Brümmer, Franz: Lexikon der deutschen Dichter und Pro-saisten von Begínn des 19 Jahrkunderts bis zur Gegenwart. *Sechste Auflage. Band I. Leipzig: Philipp Reclam jun. 1913. Seite 185-186.*

Bentivegni, Ina von, da família von Binzer, pseudônimo: Ulla von Eck, nasceu a 3 de dezembro de 1856 na Administração de Florestas Brunstorff, em Lauenburg, e passou a infância em Friedrichsruh, Mölln, Kiel e Schleswig, em consequência das frequentes transferências do pai. Depois da anexação dos ducados Schleswig-Holstein (1866), veio com os pais para Arnsberg, em Westfalia, onde recebeu a sua educação escolar. Mais tarde, esteve, durante um ano inteiro, num internato em Bonn e fez o seu exame de professora em Soest. Tendo falecido sua mãe, pouco tempo antes, viu-se obrigada a representá-la na família. Contudo, um ano mais tarde, pôde seguir a sua profissão de professora. De Königsberg, na Prússia, para onde a família tinha emigrado, no entretanto, partiu, por conta própria, para a peregrinação que a levou, em breve, de um lado para o outro, e, em 1881, ao Brasil, onde ficou até 1884. De regresso à pátria, dedicou-se à profissão de escritora e, auxiliada por um tio, achou-se na feliz situação de poder dedicar-se, com vagar, a essa nova ocupação. Teve a sua morada em Berlim até se mudar para a sua província natal, o Schleswig-Holstein. Pouco depois, desposou o juiz de comarca, Dr. Adolf von Bentivegni, em Treffurt, que foi transferido em 1899 para Granse, e nos fins de 1906 para Halle.

Obras: *Leid und Freud'einer Erzieherin in Brasilien*, 1887 [*Tristezas e alegrias de uma professora* no Brasil – romance humorístico em cartas]. *Zigeuner der Grosstadt*, 1894 [*Ciganos da grande cidade*]. *Tante Cordulas Nichten*, 1897 [*As sombrinhas da tia Córdula*].

Só me resta, para encerrar esta nota introdutória, **perguntar: e Mr. Hall, que fim levou? Será que pediu Ina em casamento e desapareceu depois? Ou nunca chegou a formalizar o pedido?** Continuaremos, talvez para sempre, sem saber se Ina-Ulla saiu do Brasil noiva ou de coração partido. *Ach*, Grete!

Cartas

Fazenda São Francisco, 27 de maio de 1881

Minha cara Grete!

"Fazenda" significa plantação. Sinto muito não escrever *hacienda*, pois vocês provavelmente ainda estão convencidas de que assim é que se diz e terei de decepcioná-las desde as primeiras linhas de minha carta. Consolem-se comigo: aconteceu-me o mesmo, mas continuo achando adorável termos confundido inocentemente espanhol com português. Assim, vai-se perdendo uma ilusão após outra.

Não é nada extraordinário que esta fazenda se chame São Francisco; seria, ao contrário, fora do comum, se tivesse outro nome. Vinte e um lugarejos no Brasil usam o nome de São Francisco e as plantações que esse santo tão querido deve tomar sob sua guarda são legião.

A segunda desilusão vai ser para vocês minha viagem do Rio de Janeiro até cá: não lhes poderei contar nenhum assalto dos indígenas, nem mesmo uma luta contra os tigres, quando no mínimo vocês esperavam uma descrição das cobras gigantes. Tendo chegado até cá sem incidentes, reconheço de antemão a inferioridade em que me encontro diante de vocês, comparando-me a outros viajantes dos trópicos.

Mas essa é a verdade.

O Dr. Rameiro, em pessoa, veio buscar-me à estação e calcule, minha querida, numa comodíssima carruagem europeia! Nunca um semitrole me desapontou tanto quanto este. Se ao menos pelo caminho se tivesse partido uma das rodas ou se o cocheiro preto (este sim, um autêntico escravo) tentasse jogar-nos num despenhadeiro para vingar-se de algum castigo recebido! Mas devo confessar humildemente que ele nos observava com bondade, olhando-nos de cima do seu narigão chato, sem pensar em nenhum precipício. Esperemos entretanto que o destino se compadeça de mim e me proporcione algum dia uma situação bem perigosa que lhes possa descrever.

O Dr. Rameiro veio buscar-me. Não sei porque o chamam de "doutor" e duvido muito que ele próprio saiba encontrar a razão desse tratamento. A única explicação verossímil seria a de que todo o brasileiro bem colocado na vida já nasce com direito a esse título, e por um lado pareceria uma falta de modéstia; por outro seria estúpido exigir que eles o fossem conquistar à custa de estudos tão difíceis quanto desnecessários.

Ele falava português e eu, francês.

Parece que não existem quase brasileiros que não falem francês, embora alguns deles possuam apenas uma vaga noção sobre o país a que essa língua pertence, ignorando mesmo que existem mais algumas cidadezinhas além de Paris. Na cabeça da preta que me serve – a minha negra –, Paris corresponde a todo o lugar fora do Brasil. Como percebi sua admiração ilimitada por essa coisa notável que é

Paris e de onde naturalmente provenho, tive o cuidado de não desacreditar a cidade e a competência de seus filhos com meu português de oito dias.

"Minha negra" – até agora isto é o melhor de minha carta – e como soa bem, não é verdade? Chama-se Olímpia, o que torna o caso decididamente muito mais impressionante quando me responde submissa e em qualquer circunstância: "sim, senhora", mesmo se estou ralhando com ela. Confidencialmente lhe digo, minha cara, que ela é a criatura preta e beiçuda mais horrenda que jamais usou esse nome majestoso; o seu "sim, senhora" é muito comum aqui, como por exemplo em Berlim *gnädige Frau*. Mas esse constante "sim, senhora" acaba por deixar a gente meio embrutecida, pois usa dessa expressão a todo o instante e principalmente quando não entende o meu português, o que acontece várias vezes ao dia. Mas não conte isso aos outros, está ouvindo?

O Dr. Rameiro possui ainda cerca de duzentos escravos e escravas. A maior parte, naturalmente, trabalha nos cafezais; mas em casa são também numerosos, e uns até têm algum serviço a fazer. Num salão iluminado por luz de claraboia parecendo um grande corredor, ficam sentados um preto e uma preta, cada qual com sua máquina de costura, matraqueando o dia inteiro. Em volta deles, pelo chão, e no outro quarto, também com jeito de corredor, contíguo à cozinha, sentam-se dez ou doze pretas costurando e tendo cada uma a seu lado um balaio onde se encontra deitada uma criança; é natural que, dessa coleção, ao menos uma esteja chorando. Visto que para esse trabalho de costura são empregadas somente pretas com criancinhas que não podem abandonar, é claro que não faltem os balaios de onde se desprendem choradeiras.

O pessoal da cozinha é composto de três criaturas, mas ainda não consegui descobrir qual das três é a cozinheira. Às vezes a comida tem um sabor que nos faz desconfiar serem as três de opinião diametralmente oposta em questões de temperos, agindo cada qual por sua própria conta. Outras vezes, parece que por amor à paz nenhuma se definiu.

Há um mulatinho de 12 anos, com cara de malandro e uma invencível predileção pelas roupas sujas e pelas cambalhotas que se tornaram sua maneira habitual de andar; sua obrigação é a de espantar as moscas durante o almoço, junto à mesa, com uma bandeirola (que é agora marrom-cinza, seja lá o que tenha sido antes). E me parece mais intolerável que as próprias moscas. Além disso, o menino deve servir o café. Mas mesmo tomando-se essa bebida quatro vezes ao dia, não se pode considerar um serviço dessa espécie como ocupação suficiente para o dia inteiro, não se podendo prever até que ponto de virtuosismo chegará essa criaturinha amarelada se empregar a metade de suas horas vagas aperfeiçoando as cambalhotas.

"Horas vagas!" Ah, minha querida Grete, como essa palavra possuía o dom de me tornar elegíaca! Lembra-se de quando decidimos, entre nós duas, como um fato indiscutível, que os brasileiros não se ocupavam senão em apurar a sua elegância ou em fumar? Suas damas, envoltas em vaporosos vestidos, embalavam-se nas redes fazendo-se abanar por interessantes negrinhos vestidos de vermelho e branco... Como as laranjeiras e bananeiras, através da nossa fantasia, tinham a singular tendência de crescer, janelas adentro, enquanto papagaios multicoloridos e os "graciosos" beija-flores esvoaçavam em nossa volta como os pombos no parque de Lili!* Que idílio! Era natural que pessoas a tal ponto românticas não exigissem nunca, de uma educadora, nenhum "trabalho" excessivo (horror!); mas lhe permitissem descansar com os seus alunos à sombra das laranjeiras, ensinando, quase a brincar, a cara língua materna, saboreando frutas, domesticando papagaios, fazendo poesias, enfeitando-se com flores...

Ah! Grete, não lhe digo nada além de *ach*!

O Dr. Rameiro fuma de fato; aliás, nunca o vejo sem estar fumando. Mas, mesmo com a melhor boa vontade, não poderei considerá-lo como um homem elegante; nem quando, de pernas afastadas, se põe plantado diante da casa, nem quando percorre as dependências do café, nem quando se deita à noite, na rede, sem fazer coisa nenhuma. Não tem a mínima semelhança com os lindos brasileiros do Teatro de Operetas de Friedrich Wilhelmstadt. Como isso é desanimador!

Mme. Rameiro também se deita às vezes nas redes que representam perfeitamente o papel de um móvel e são colocadas em ganchos fortes em paredes opostas. Mas, como é senhora bastante viva, não aguenta nunca a rede durante muito tempo; quando a sua energia é despertada, em geral

---

* Referência ao poema "Lili's Park" [Parque de Lili], de Johann Wolfgang Goethe. [*Esta e as demais notas são de autoria da editora.*]

por uma costura malfeita de uma mulher com um desses balaios, ouço-a da sala de aulas (o que não se escuta de lá!) incitando as pretas com palavras estranhamente parecidas com as nossas expressões injuriosas. Amanhã vou procurar no dicionário a significação exata de "diabolo" [sic] e "canalha" para justificar aos meus próprios olhos a boa senhora, o que representará um brilhante sucesso para o dicionário.

Das bananeiras e laranjeiras falarei mais tarde. Agora, apenas algumas considerações sobre os papagaios: seja lá como for, minha querida Grete, nunca mais os meta em nenhum romance e, se o fizer, contente-se com um apenas, mas conserve-o surdo-mudo. No quarto dos balaios musicais há seis deles pelas paredes, empoleirados sobre suportes de folha de zinco de meio pé de largura, parecendo pequenas cantoneiras. Desde as quatro horas da madrugada começam a reclamar energicamente o seu café e só se calam quando o obtêm, nunca antes de hora e meia, em condições normais. Depois tagarelam, gritam, grunhem, chiam, vociferam o dia inteiro, com uma persistência que me deixaria exasperada se as máquinas de costura em conjunto com outros 11 passarinhos e os balaios já não bastassem para tornar-me louca furiosa! Até agora, são eles meus inimigos mais íntimos. Nos primeiros dias, nutria ainda uma vaga esperança de que não durassem muito; quando me recordei do papagaio centenário de Molière, comecei a observá-los como o fazia Mr. Pickwick com o cavalo recalcitrante, isto é, calculando as possíveis consequências de um assassinato abrangendo todos os seis. Escuto-os também lá da sala de aulas, naturalmente.

Aliás, nesta casa idílica tudo se ouve de toda parte, porque as portas e janelas estão sempre abertas, não havendo tapetes, cortinas nem móveis estofados para amortecer de qualquer forma os ruídos que ecoam e repercutem por todos os lados. Oh! Grete querida! Estas enfiadas de cômodos enormes, esta luz ofuscante, estes móveis de palhinha e estas cadeiras de estilo vienense são tão terrivelmente antirromânticos, tão anti-idílicos!

E o *dolce far niente?*... Nem falemos sobre isso. Éramos ainda jovens demais quando nos convencemos de que essa ia ser minha principal ocupação aqui. Por hoje basta. Não quero despedaçar seu coração solitário e amigo. Irei contando tudo pouco a pouco.

Então, adeus; o chá já deve estar servido, pois – um! dois! três! –, o que quer dizer: já estou percebendo as cambalhotas do mulatinho, que não necessita de mais de três para vir da sala de jantar até aqui. Dito e feito, já ouço sua voz murmurando através da porta: "chá, senhora". Agora, até a próxima hora disponível. Que o tempo não lhe pareça demasiadamente longo.

Sua Ulla

São Francisco, 9 de junho de 1881

Querida Grete!

Você sabe quem afundei hoje nas profundezas mais profundas de minha mala? O nosso Bormann, ou melhor, suas quarenta cartas pedagógicas que não têm aqui a menor utilidade. E confiava tanto nelas! Durante a viagem, quando me assaltava o receio de não chegar a um entendimento com os meus alunos brasileiros, lembrava-me sempre do livrinho prestimoso, entre meus apetrechos de viagem, e sentia-me logo mais calma, dizendo-me: "Faça assim!"... E agora? Grete: creio que o próprio Bormann não saberia muitas vezes como agir aqui... Sinto-me desnorteada entre tantas coisas inatingíveis mas patentes e sempre presentes!

Esta abençoada família tem doze filhos e sete deles sob meu punho pedagógico. Às sete horas da manhã, começa. Chegam primeiro "as grandes" e tomam aula de alemão. D. Gabriela, D. Olímpia e D. Emília já têm a idade de 19, 21 e 22 anos, o que para as brasileiras é ser quase solteirona. Com os meus 22 anos, isso muito me espantou. E estar obrigada a dirigir-me sempre a uma aluna com o "dona"...

Nas primeiras manhãs, chegaram regularmente atrasadas à aula, de modo que me vi forçada a pedir que comparecessem pontualmente, pois estava seguindo ainda os conselhos do Bormann. Desde então, todas as manhãs quando entro, encontro-as sentadas sérias e mudas em volta da mesa, com suas caras brasileiras empalamadas; nem mesmo um apático e indiferente "*bonjour, mademoiselle*" lhes muda a expressão. Nenhuma frescura natural, nenhum prazer no estudo, nenhuma simpatia pessoal – ach! Grete, esse trio é terrivelmente paralisante! A aparência das três lembra-me sempre da Santa Inquisição, com os juízes em volta da mesa redonda que, na certa, não se mostrariam mais carrancudos nem mais frios. Considero-me bastante patife, pois lastimo o pedido que lhes fiz para serem pontuais. Atravessamos penosamente a aula de alemão, sempre com auxílio do francês que ainda é o melhor recurso, porque, quando começam a falar alemão, não entendo patavina.

Sinto-me salva, mas meio esgotada, quando, às oito horas, chegam "os pequenos". Mesmo malcriados, ao menos são crianças e somente a mais velha já tem qualquer coisa da Santa Inquisição. *Ach*! Grete! Eles todos são *provoking*! Fazem tudo o que digo, aprendem tudo o que lhes dou para resolver e assim mesmo irritam-me inexplicavelmente.

Tenho certeza de que não me querem mal e às vezes acho os menores bem engraçadinhos.

Um desses domingos, estava sentada num dos bancos deste jardim paradisíaco, embaixo de uma imponente mangueira, e sonhava – *ach*! Grete! – com carvalhos alemães, quando, de repente, olhando para cima, vi uma horrenda criaturinha preta que me apavorou, devolvendo-me aos trópicos. Imagine: aparentava mais ou menos 12 anos, parecendo mais macaco do que gente, abrindo um sorriso até as orelhas, a carapinha repugnante, um dedo de testa, a barriga terrivelmente gorda, pernas como paus pretos recobertos de cor lilá, de tanto pó. Faça uma ideia desse conjunto, vestido apenas com uma edição muito resumida de camisa de cor indefinível e compreenderá que não me sentisse arrebatada por esse nobre concidadão. Ao contrário, parece que me sobressaltei de tanto susto, porque detrás de um arbusto surgiu imediatamente a pequena Leonila, que me disse, acalmando-me com ar meio protetor: "*N'ayez pas peur, mademoiselle, c'est Jacob*"*; mas, vendo depois que meu rosto não exprimia ainda grande entusiasmo pela honra de travar conhecimento com o santo pai da Igreja, acrescentou meio indignada, meio elucidativa: "*Il est à moi; grand'maman m'en a fait cadeau à mon jour de fête.*"** Asseguro-lhe que era cômico; essa jovem senhora de escravos, olhando orgulhosa para aquele presente vivo, e sua horrorosa pequena propriedade rindo-se de satisfação diante daquela declaração de posse, mais por adivinhá-la do que por entendê-la, fizeram-me dar uma gargalhada gostosa. Aliás, essa atitude de superioridade, assumida até pelas próprias crianças, devido à escravidão aqui existente, apresenta geralmente um aspecto humorístico. Em compensação, é bastante comovente ver-se como se afeiçoam

---

* Em tradução livre, "Não tenha medo, senhorita, é o Jacob".
** Em tradução livre, "Ele é meu, ganhei de presente da minha avó nas férias".

aos bons e fiéis pretos e pretas. A pequenina Maria da Glória, de 5 anos, por exemplo, guarda habitualmente um pouco de sua sobremesa para a ama, uma jovem e linda mulata, pedindo sempre qualquer coisa para sua irmã de leite, também. Alfonsina, que gosta muito de enfeites, oferece sua fita mais colorida à sua velha aia, quando imagina lhe dar prazer.

Todos gostam de dar e de satisfazer qualquer desejo da gente, mas mesmo assim, mesmo assim!...

Ach! Grete! Sabe que passei agora a considerar o Peter no estrangeiro, como pessoa muito inteligente?

Sua Ulla

São Francisco, 20 de junho de 1881

Desejaria que você, querida Grete, pudesse assistir a um almoço brasileiro. Não seria convidada "à mesa" nem mesmo para a famosa "colher de sopa", como se diz em alemão, mas somente para tomar "um copo d'água". Poderia entretanto arriscar-se sem susto, porque o tal "copo d'água" abrange um almoço bastante variado e, como apêndice, uma noitada de música com eventual pouso noturno.

Fomos ontem convidados para ir à fazenda dos nossos vizinhos, aliás, vizinhos de 5 milhas de distância, para onde nos conduziram, em trote rápido, quatro mulas atreladas em dois carros.

Ali, na imensa sala de visitas, com sete janelas, já encontramos formado um grande círculo. A palavra círculo deve ser tomada apenas como expressão habitual, pois a sociedade achava-se instalada à direita e à esquerda do grande sofá de palhinha, percebido pelos recém-chegados à nebulosa distância, ramificando-se em ângulo reto, formado pelas filas de cadeiras, deixando um espaço livre diante do sofá, o que dava a impressão de estarmos assistindo a um jogo de salão. Os iniciados sabem que vão encontrar em todas as casas brasileiras esses ângulos retos. A mesa redonda é colocada no centro do salão.

Em volta da sala apertamos todas as mãos conhecidas e desconhecidas, tendo sido eu apresentada como "a nova professora"; segundo o costume muito atencioso todos perguntavam uns aos outros: "Como vai a senhora? Está bem?", mesmo que a gente nunca se tivesse encontrado antes nesta vida.

Depois de ter estado sentada durante algum tempo com D. Gabriela, na ala esquerda de uma das filas de cadeiras, vi surgir um negrinho descalço que anunciou: "O almoço está servido", tendo a dona da casa com muita dignidade transmitido o convite – "vamos jantar", o que quer dizer, "vamos comer".

Dos dois lados da mesa posta, estavam de pé uns mulatinhos não muito limpos, armados com compridas varas de bambu em cujas pontas havia uma bandeirinha vermelha; das outras pendiam longas tiras recortadas do *Jornal do Commercio*, do Rio, com as quais eram enxotados os mosquitos e as moscas. Já me havia implicado com uma dessas bandeirolas em São Francisco; mas comparando-a com esses monstruosos papeluchos ciciantes, de uma ofensiva falta de gosto para os olhos e ouvidos, aos quais, além de mim, ninguém parecia dar atenção, considerando-os mesmo, talvez, como invenção agradável e genial, intimamente revoltada pedi desculpas ao trapo sujo lá de casa.

Depois de se ter tomado a sopa, cada um de nós começou a servir a comida da qual se encarregara, porque aqui não se passam as travessas, mas coloca-se tudo ao mesmo tempo sobre a mesa, para ser oferecido e servido pela pessoa que se encontra diante do prato, mesmo que seja um dos convidados. Desse modo, cada qual pode escolher os pratos *ad libitum*. Comecei, portanto, corajosamente, com a minha travessa de feijão-preto, o feijão predileto dos brasileiros, que não falta em nenhuma refeição: "A senhora quer feijão?"; "Um pouco de feijão, senhor doutor?" Asseguro que estive à altura e diante de mim mesma fiz bela figura como brasileira. Enquanto isso, ofereciam-me também: "*Wollen Sie ein wenig Reis?*"* – brilhando a moça da casa com uma frase em alemão, acentuando fortemente a sílaba final e pronunciando "g" como "k" e todos os "s" como "ss". "Um pouco de vinho, mademoiselle?", indagou o honesto chefe da família que nunca aprendeu outra língua senão a "língua dos brancos", como se chama aqui ao português, em contraposição às primitivas línguas africanas dos pretos escravos importados. "*Vous offrirai-je des pommes de terre?*"**, disse um rapaz moço recém-chegado de Paris (era doutor também, naturalmente). Então combinei o melhor que pude um almoço homogêneo, escolhendo-o entre assado de porco, filé, feijão-preto, galinha, arroz, couve, angu e batata-doce. Sem lançar mão de muito cálculo e habilidade não é fácil obter-se dos brasileiros uma refeição quente, pois cada vez que você balbucia um "*s'il vous plaît*", a mão de uma das negras copeiras (aqui eram quatro) apossa-se de seu prato com rapidez de raio, correndo para

---

* "Quer um pouco de arroz?"
** "Posso lhe oferecer batatas?"

o administrador da iguaria mencionada, para satisfazer seu pedido. Por aí você pode ver que poderá comer tanto mais tranquilo e mais quente quanto menos complicadamente você montar a sua refeição, porque a cada *"s'il vous plait"* o seu prato terá de enfrentar uma nova viagem.

Essa maneira de comer, já por si horrivelmente enervante, mais os papeluchos ciciantes, o estalar enérgico das bandeirolas, a rumorosa conversa, cheia de gestos, dos brasileiros, a correria das pretas, tudo agia de forma alucinante sobre meus nervos alemães, abalados pela claridade ofuscante das salas sem cortinas, de modo que olhava envergonhada para a expressão indiferente das outras senhoras, que quase não tomavam parte na conversa, nem se incomodavam com tanto barulho.

O passeio dera-me fome, porém não consegui comer em tais condições. No fundo, ando sempre com fome desde que comi pela última vez no navio, pois meu estômago está custando a fazer amizade com a monotonia da comida invariável e com a banha com que é toda ela preparada aqui. No princípio, a falta de batatas e de pão durante as refeições parecia-me insuportável, pois com eles poderia remediar os inconvenientes da gordura. Mas, no campo, o pão é substituído pelos chamados "biscoitos", espécie de *pâtisserie* de farinha de raiz de mandioca, de razoável paladar quando apenas saídos do forno, mas que não deixam nada a desejar como resistência, passadas algumas horas, podendo concorrer em solidez, depois de dois dias, com pedras novas. Nestas benditas paragens, nossas boas batatas não dão senão como batatas-doces, que chegam a pesar 9 libras e são simplesmente cozidas, ou preparadas com açúcar para sobremesa. Nos primeiro dias, essas coisas grandes e azuladas, lembrando na cor e no gosto suas irmãs geladas do inverno nórdico, me enojaram; mas agora confesso envergonhada que gosto dessa compota. Já fiz boa camaradagem com o feijão-preto e com seu inseparável bolo de fubá sem sal, o angu; já ando namorando a farinha de milho e a de mandioca, que vêm à mesa em cestas de pão e que os brasileiros misturam com feijões cheios de caldo; não demorando muito em apaixonar-me pela carne de carneiro seca pelo sol, com a qual nos regalam frequentemente ao café da manhã.

Não me despreze, Grete, pois não há outras coisas aqui. Se acrescentar às iguarias acima referidas arroz cozido n'água e cor de tijolo de tanto tomate terá à mesa o *menu* do ano inteiro.

Uma coisa importante aqui é a sobremesa – os doces –, em cuja preparação os brasileiros têm fama de mestres, como também na sua consumação, o que se patenteou ontem plenamente para mim: senhores e senhoras absorveram quantidades incríveis de frutas em compota, balas de chocolate e de ovos, comendo-os junto com grandes pedaços de queijo.

Preciso confessar – eu também!

No primeiro dia, quando ao meu paladar europeu ofereceram esse petisco, recusei indignada e pedi um pouco de pão com manteiga para acompanhar o queijo. Apareceram biscoitos no estado número dois e uma manteiga dinamarquesa, em lata, mole, amarela, salgada – nem é bom falar –, então decidi-me corajosamente pela combinação usada no país, no que fiz bem.

Assim, ao menos fui capaz de terminar ontem minha refeição de forma bem brasileira e, como já podia denominar todos os pratos em português (grande coisa, se aparecem os mesmos à mesa, duas vezes por dia!), dizendo nessa língua algumas frases defeituosas mas bastante exageradas, os novos conhecidos acharam-me muito simpática, honrando-me logo depois do almoço com um convite para tocar e cantar.

Toquei uma valsa de Chopin que agradou muito e cantei "Pequena Ana Katarin" que não compreenderam de maneira alguma. Nunca mais hei de cantar uma canção alemã diante de ouvidos brasileiros; mas somente estudos italianos, pois estou convencida de que estes serão apreciados.

Seguiram-se umas danças francesas que a nossa D. Olímpia tocou bem direitinho, mas escolhidas com mau gosto. Depois, sentou-se ao piano uma senhora muito calma, muito gorda, de olhos muito escuros que começou a tocar o segundo ato do "Trovatore". Haviam-me dito antes que ela tocava com perfeição e por isso escutei-a atentamente. *Ach!* Grete! Serei tão inflexivelmente germânica que não possa achar esses latinos espirituosos ou interessantes? Mas não consegui sentir de outro modo e, a mim, nada me diziam esses dedos ágeis e amestrados, aquele rosto impassível cor de cera amarelada, os olhos pretos que pareciam borrões de tinta, inexpressivos, apesar de ser exato: ela tocava perfeitamente bem! Tinha raiva de mim mesma por não conseguir entusiasmar-me e olhava medrosa, em volta de mim, com receio de que o percebessem. Todos os rostos estavam pálidos, amarelados, e de tanta **admiração** por aquela "impecável" execução imóveis, todos **menos um**.

Desde há alguns dias, acha-se em visita em **nossa casa** um jovem arquiteto italiano, sobrinho do doutor por parte de sua primeira mulher que era italiana; esse infeliz parecia sentir a mesma coisa que eu. Sem querer, sorri, olhando para seu rosto, pois nossa comum sensibilidade europeia nos fazia vibrar de maneira idêntica em relação às condições daqui; com uma expressão infinitamente cômica, ele levantou os olhos para o teto.

Neste meio-tempo o "Trovatore" tinha-se tornado mais insistente; a senhora calma e gorda tocava havia já meia hora; teria ela a intenção de executar o ato inteiro? Deslizei cautelosa para o lado da porta, mas não ousei escapar da sala, mesmo sentindo que mais 15 minutos daquela execução impecável bastariam para submergir-me. O jovem italiano que também parecia esgotado aproximou-se: "*Je n'en peux plus*", murmurou; "*j'ai déjà une indigestion de musique.*"*

E isso num país que apenas começa a civilizar-se, possuindo somente um conservatório! Ai das gerações futuras, se a epidemia pianística crescer em tais proporções!

Mas basta! – minha luz está se despedindo, como se me tivesse permitido apenas este queixume triste e profético: seu pavio está no fim e não há lâmpadas aqui.

Então, *Gute Nacht* minha Grete, ou se lhe parece interessante: "Boa noite."

Sua Ulla, saturada de música

---

* "Não posso mais suportar isso, estou exausto de música".

São Francisco, 11 de julho de 1881

Querida e única Grete,

Hoje as primeiras cartas de casa! Tive vontade de abraçar o pretinho sujo, quando uma, duas, três cartas surgiram de sua pasta para a professora, depois de a ter olhado em vão, durante tantos dias. O Dr. Rameiro manda buscar o correio diariamente, o que é muito raro aqui; a maior parte dos fazendeiros só uma vez por semana envia alguém à estação. Boas notícias de casa, uma carta alegre de minha Grete: Deus meu! Como uma folha de papel coberta de garatujas pode tornar a gente feliz! E como se aprende a ser paciente! Asseguro-lhe, Grete, que estou ficando parecida com Solas y Gomez. Lembra-se de como me punha fora de mim, no tempo do colégio, quando o carteiro faltava dois dias? E agora só depois de um mês e meio recebo as primeiras cartas. Vou levar de volta tantas e tão boas qualidades que não terei onde empregá-las, na Europa. Mas hoje justamente precisava espairecer um pouco, pois desde a manhã foi tudo tão paralisante que me sentia abafada. Primeiro, travei uma das mais duras batalhas contra os biscoitos que recebi no estado número três; depois a Santa Inquisição esteve particularmente desagradável e, além disso, ando sofrendo de uma terrível nevralgia que quase me impede de comer e de falar. Isto é mal comum entre os europeus aqui e ataca também os de cá. É terrivelmente doloroso, ainda mais quando se tem de lecionar. Asseguram-me que estou assim porque saí à tarde, depois das seis horas, e apanhei o perigoso sereno do anoitecer; mas, cara Grete, ficaria asfixiada se nunca tomasse ar, ainda mais tendo passado 24 dias ao ar livre no navio, de manhã à noite. Aqui, as aulas são das sete às dez; depois vem o almoço quente, pelo qual Mme. Rameiro nos faz esperar inutilmente até às dez e meia, de maneira que não posso mais sair, porque, logo após o último bocado, tenho de voltar às aulas. Prosseguimos até a uma hora, quando temos então trinta minutos para o lanche; à uma e meia começam as aulas de piano que vão até às cinco, quando servem o jantar. Pergunto-lhe eu: quando poderei passear antes das seis? Veja se consegue descobrir outra hora melhor. Eles querem engolir cultura às colheradas e nunca têm uma tarde livre, um dia desocupado, nem muito menos uma semana de férias durante todo o ano. Fico desesperada só de pensar, e ainda todo esse tempo sem uma palavra em alemão. Nas aulas, como na mesa, só se fala francês, e com os pretos, português... *Ach*! Grete, realmente é muito mais duro do que se pode imaginar de longe. Reflita bem se devo mesmo procurar colocação para você aqui; em todo caso não deixe de trazer consigo uma cama. É muito bom não nos mostrarmos exigentes, mas não convém exagerar. Quero descrever-lhe minha cama e peço-lhe uma lágrima por mim. Imagine um banco rústico de madeira, sem cabeceira, mas com braços aos lados; essa é a armação do meu leito. Em cima de um estrado, o colchão, cujo enchimento é composto de ervas selvagens, misturadas, por motivo ignorado, com graciosos galhos e gravetos. Sobre este banco de tortura coberto com um lençol, oculta-se um travesseiro em miniatura, que no princípio pensei ter sido perdido pela Mariazinha, e pertencer ao berço de sua boneca. Mas deve ser mesmo o meu próprio travesseiro, recheado com uma flor seca, amarela, que possui uma vaga semelhança com as nossas sempre-vivas mas chama-se "marcela". Coroando tudo isso, cobre-se a cama com um cobertor de lã inglês. Conseguirei entrar em entendimento com esse lado da vida brasileira? Assim o espero. Por enquanto, para minha tranquilidade, estou procurando conhecer pessoalmente todos os gravetos de meu colchão e ver se consigo também um pouco de calor nesse leito de asceta, pois se os dias são quentes, as noites agora são sensivelmente frias.

Fico admirada dessas noites tão frescas não prejudicarem as plantas do nosso encantador jardim! Mme. Rameiro é uma grande botânica e conserva o jardim sob sua especial direção. Zela para que cada planta seja bem-cuidada e manda vir de outros climas tropicais, das Índias, do Japão, as espécies que não são nativas no Brasil, transformando assim um pedacinho de terra num verdadeiro éden, num país de magia, repleto de maravilhas de contos de fada.

O portão desse jardim é coberto por viçosas clematites e leva-nos primeiro aos pequenos grupos de coníferas raras, aos canteiros de formas bonitas, cheios de grandes e estranhas flores de magnífico colorido. Entre elas, vê-se um quiosque multicor, em estilo chinês. Digo, Grete, que com o céu profundamente azul, o sol dos trópicos, os graciosos e pequenos colibris parecendo reluzir como esvoaçantes pedras preciosas, este lugar é tão "sul", tão esquisitamente tropical, que a gente pensa estar sonhando. Chega-se depois a uma esplêndida alameda de bambus, úmida, sombria, fresca. À esquerda e um pouco mais embaixo há um lago animado pelo colorido variado dos patos; à direita, numa colina, suavemente vão-se elevando as laranjeiras muitas vezes carregadas de frutas e de flores, ao mesmo tempo. Ao sair, nova surpresa: palmeiras, bananeiras, laranjeiras, caneleiras, amendoeiras espalham por toda parte seus perfumes e as romãs brilham entre sua leve folhagem. Aqui, um arbusto de chá, acolá um de café, misturado com eles, um algodoeiro perdido e um pezinho de anis e de noz-moscada, e até mesmo baunilha e patchuli se podem encontrar. No começo fiquei embriagada, Grete, e absorvia essa magia, essa beleza, esse exotismo com todos os meus sentidos. Mas – maravilha – sabe qual minha impressão mais persistente? A do estranho, do exótico, sim, de um estranho absoluto. Admiro e embriago-me com esse feitiço do Sul, com seu encanto sedutor, mas não o compreendo. Não posso me entreter com essas plantas primorosas, não as reconheço, nem elas a mim. Há algo de maravilhoso em torno da pátria! Quanta coisa que se junta a ela! As flores, as árvores. Em casa logo sabemos o que cantar debaixo de um carvalho; não há, porém, que não conheça nossa rica poesia alemã da *Linde*, e assim como sabemos falar, cantarolamos a nossa canção de natal "O Tannenbaum, o Tannenbaum!" Assim saudamos uma árvore com outro espírito! O imenso pé de manga no meio do jardim é bem bonito, mas flagrei-me outro dia trauteando sob sua sombra a bela cantiga:

> Eu tive uma pátria
> Lá o carvalho crescia alto
> As violetas exalavam suave perfume
> Foi um sonho.
> E quando cheguei ao estrangeiro distante
> Havia uma menina maravilhosa
> Loura da cabeça aos pés,
> Foi um sonho.
> Ela beijou-me em alemão e falou em alemão,
> Vocês não sabem como soaram bem
> As palavras: Eu te amo.
> Foi um sonho...

E você lembra, como não conseguíamos entender bem, quando Dranmor cantava: "Eu daria toda essa maravilha por um pinheiro coberto de neve!" E agora... Mas eu falo, por isso calo; aqui não podemos nos tornar sentimentais.

Sua mais alemã Ulla

São Francisco, 25 de julho de 1881

Grete, querida,

Agora, quando evocar vocês em pensamento, você, sua felizarda que ainda conhece a palavra "férias", terei de situá-los em Elgersburg, esse lindo recanto da Turíngia. Para sua pobre Ulla essas coisas estão se transformando em conceitos sem conteúdo – a liberdade, o descanso, a frescura do verão... Não! Tratando-se de frescura, faço-lhe concorrência, pois declaro solenemente que há dias passados tiritei muitas vezes de frio e estou escrevendo ainda com os dedos enregelados. E tenho sério motivo para isso, visto que ontem foi o dia de temperatura mais baixa de todo ano, dia de São João Batista. Senti um frio bárbaro, para gáudio da família que nega esse direito a uma álgida alemã. Bendigo hoje o carinhoso apego que demonstrei pela minha velha jaqueta de inverno, quando fazia minhas malas em Berlim. Inexplicavelmente, os brasileiros não sentem tanto frio, como se podia notar ontem à noite, na festa de São João, santo muito querido neste país. O Dr. Rameiro organiza essa festa todos os anos, nesse dia, também onomástico de um filho, atualmente na Europa (em Paris, naturalmente). Para os escravos, é uma espécie de festa da colheita, porque ao mesmo tempo termina a colheita do café.

Acho sempre interessante ver chegarem as carroças cheias dos frutos do café, de volta dos cafezais para as imensas salas das máquinas onde, em perfeitas instalações planejadas pelo doutor, são preparadas para o comércio.

No último domingo, passeamos através de uma plantação de 1 milha quadrada. As árvores, aliás, os arbustos, pareciam-se com os de avelãs, um pouco maiores, carregado de frutos entre as folhas brilhantes e pontudas. O Dr. Rameiro contou que esse cafezal tem a idade de 25 anos, podendo produzir até 40; depois se começa a explorar novo pedaço de terra já há algum tempo cultivado. É curioso e pode provocar bastante inveja na gente como uma extensão de terra, que para nós já seria um campo bem bonito ou um jardim respeitável, aqui não significa nada. A plantação mede 3 milhas quadradas, mas o modo de exploração é bastante original. A maior parte da terra não é cultivada; quando é necessário aproveitá-la, queima-se então o que ali crescia, sendo às vezes atingidas sem piedade as mais lindas matas virgens, cujas cinzas e troncos apodrecidos servem como o melhor dos adubos. Não pode existir aspecto mais alucinante do que esse, do milharal crescendo viçoso e pujante na selvagem desordem dos destroços sapecados ou inteiramente carbonizados. Em nossa terra, é impossível fazer-se ideia de tamanha confusão, nem de tal esbanjamento. Aqui, cada dia mais, se vai abandonando essa maneira canibalesca de desbravar a terra; mas até hoje não é tão rara como os brasileiros pretendem fazer crer, e antigamente era hábito comum. Imagine, Grete; há sete anos passados um escravo morreu queimado na fazenda de um irmão de Mme. Rameiro, por não ter podido escapar a tempo da mata onde se ateara fogo pelos quatro lados. Isso é horrível, mas parece já ter acontecido não raras vezes, infelizmente.

Quando atravessamos a plantação, os pretos estavam trabalhando, porque o domingo para os escravos desta fazenda cai na quarta-feira. A lei exige um feriado por semana para eles, mas deixa ao patrão o direito de escolher o dia que melhor lhe convenha, de maneira a não coincidir com o feriado da fazenda vizinha, evitando assim as relações dos pretos entre si.

Foi muito pitoresco apreciar aquelas figuras negras de blusas claras colhendo o café e enchendo rapidamente as cestas, entre os arbustos escuros, mas reluzentes. Os pretos aqui são bem tratados e aqueles que colhem mais do que uma determinada quantidade de cestas recebem uma gratificação.

O café, na árvore, parece-se com as frutas grandes do abrunheiro e dentro da casca vermelho-azulada acham-se os grãos, como dois feijões, com a parte achatada encostada uma à outra.

Quando um carro repleto chega da roça, é despejado num tanque cheio d'água onde os frutos deixam as partes da casca já soltas, escorregando depois pelas canaletas rústicas até as máquinas descaroçadoras especiais e daí para outro tanque mais abaixo onde já chegam descascados.

Depois de outras manipulações para retirar as películas mais finas que em alguns grãos defeituosos ainda podem ser notadas, o café é estendido para secar sobre um terreiro cimentado, de onde é enviado, finalmente, para salas espaçosas, as tulhas, onde as pretas o escolhem e classificam. Aí, permanece ensacado durante algum tempo e é depois exportado. O Dr. Rameiro deu-me de presente uma saca inteira; imagine um saco cheio de café com três anos de depósito e muito bom, segundo a opinião dele, que pretende remetê-lo por intermédio de seu correspondente no Rio para a nossa casa. Faça-se convidar muitas vezes, Gretel!

Este ano, a colheita está terminada e foi encerrada com a festa de ontem. D. Gabriela já me contara, com orgulho, que no dia de São João matam um boi e dois porcos para distribuí-los aos pretos, no dia da festa. De fato, ontem, a manhã inteira, houve grande movimento e até mesmo a Santa Inquisição se ocupou pessoalmente com a distribuição de tudo, a preparação dos doces, a entrega das bebidas etc.

Quando escureceu, começou a festa.

No pátio, fechado pela casa em três lados e por uma fila de palmeiras no quarto, colocaram uma grande mesa posta em forma de ferradura. Posta mesmo, com toalha branca, pois o maior orgulho dos negros é, pelo menos uma vez ao ano, poder comer sobre linho como os senhores. Sobre a mesa, grandes assados já cortados, montes de arroz (naturalmente cor de tijolo, por causa dos tomates), travessas gigantes de feijão-preto acompanhadas pelo seu inseparável complemento, o bolo de fubá, o "angu"; como sobremesa, havia compota da batata-doce, milho novo cozido em leite (canjica), seguidos pelo melado, goiabada – que é um doce maravilhoso preparado com a fruta da goiabeira – e até vinho à *discrétion*.

E como os pretos se apresentam cuidadosamente arrumados! No começo vagarosos e acanhados, depois confiantes e finalmente aparecendo segundo suas categorias, colocando-se em primeiro lugar os velhos e adultos. A mocidade teve de esperar, não se podendo sentar senão cem pessoas de cada vez. Era muito engraçado apreciar como essa gente boa e simplória se tinha enfeitado. Os homens demonstravam visível predileção pelos paletós que haviam recebido de presente, ou tinham comprado por pouco preço de um mascate ambulante. Um deles envergava mesmo uma casaca velha! Os que não tinham conseguido obter um paletó usavam ao menos chapéu e de preferência cartolas!

As mulheres mostravam-se mais graciosas nos seus vestidos multicoloridos. Algumas orgulhosamente ostentavam todas as cores do arco-íris: o turbante vermelho, o vestido azul e o cinto verde, nenhum constrangimento lhes causavam.

O espetáculo tornou-se particularmente belo e pitoresco quando uma infinidade de lamparinas de cores diversas começaram a brilhar, iluminando a cena, sob o Cruzeiro do Sul que faiscava no límpido céu de inverno. Assistíamos a tudo de uma das janelas da casa e você bem pode calcular o interesse que despertam essas coisas, ainda mais entre nós, europeus.

Os pretos convidados tiveram também seus discursos e *toasts*. A menina Leonila, por brincadeira, passou pela janela a um dos pretos uma folha de jornal, dizendo-lhe: "Leia, Porfírio."

Porfírio, admirável tipo de negro velho com carapinha embranquecida, pegou o jornal, examinou-o com gesto entre cômico e melancólico, de todos os lados e concluiu:

– Minha Sinhazinha mandou ler. Porfírio não sabe ler. Mas Porfírio sabe falar e tem alguma coisa para dizer. Preciso me confessar a meu Sinhô e a minha Sinhá. Viva!

– Viva! – gritaram os outros negros.

– Preciso contar que no ano passado falei mal do meu Sinhô porque ele não nos deu uma festa da colheita. Eu disse: por que depois de contar as sacas, Sinhô não se lembrou dos pobres pretos? Lá no fundo estava furioso, mas, este ano, Sinhô não se esqueceu de nós e nem Sinhá também. Viva Sinhô!

– Viva!

– Viva Sinhá!

– Viva!

– E por isso queremos agradecer. Tem mais uma coisa para agradecer: antes, – os pobres negros penavam na limpeza do café e era preciso bater muito os grãos de mamona para tirar um pouco de óleo p'ra queimar. Agora, nosso Sinhô mandou vir máquinas de terra estranha que ele chama de Inglaterra e de Alemanha e assim melhorou a nossa vida. Nós queremos agradecer por isso também. Viva Sinhô!

– Viva!

– Viva Sinhá!

– Viva!

Assim continuaram dando vivas durante algum tempo, até que os mais velhos, cedendo o lugar aos mais moços e às crianças, iniciaram suas danças prediletas, no terreiro em frente à casa.

Colocaram-se em círculo e uma música ensurdecedora começou a tocar. Duas pipas haviam sido transformadas em tambores, que eram percutidos com pancadas monótonas por dois pretos, acompanhados pelo mais desarmonioso dos sons, produzido por matraca de metal; além disso, entoavam uma cantiga insípida, de duas estrofes apenas, incansavelmente repetidas pelos cantores, tendo eu conseguido contá-las 64 vezes! Dançavam ao som dessas "harmonias"; aliás a dança era executada por uma única pessoa no centro do círculo, indo depois tirar outra para revezá-la. Para vexame do elemento feminino, devo confessar que se mostrou inferior aos homens na graça e no desembaraço, principalmente em relação ao Toninho, o nosso insuportável moleque das cambalhotas, que brilhou pela agilidade e sinuosidade de seus movimentos.

Os que não dançavam ocupavam-se com os fogos de artifício que, por sinal, parece ser a verdadeira homenagem que São João escolheu para festejar o seu dia no Brasil. Em frente da casa, as fogueiras empilhadas como os nossos fogos de Páscoa crepitavam, iluminando a cena com fantástico fulgor. Pretinhos pulavam e dançavam, atirando fogos para o ar e sob o céu claro, cintilante de estrelas, tudo parecia imensamente pitoresco e poético sobre aquela vasta extensão de gramado, nesse dia mais frio do ano.

Nunca mais me esquecerei de um pequeno fato dessa noite, que desejaria saber fixar com pincel e tintas para poder mostrar-lhe todo seu encanto. Acompanhada pelo constante bater dos tambores e matracas, uma graciosa mulata com os olhos fechados, o rosto voltado para as estrelas, e o braço direito estendido, caminhava descalça sobre as brasas ardentes do fogo extinto, enquanto recaíam sobre ela as bolas multicolores dos fogos de artifício, riscando de luzes a escuridão. Parecia caminhar com a segurança dos sonâmbulos. Não podia acreditar no que meus olhos viam e, com uma espécie de temor, observava-a com a respiração suspensa. Mas, depois de fazer isso, ela calçou os sapatos calmamente; dizem os pretos que no dia de São João o fogo não queima ninguém.

Pensando no fogo, você nem sabe, Grete, como a invejo neste momento! Com que prazer não irei saudar a primeira lareira! D. Gabriela, a mais amável da Inquisição, ofereceu, outro dia, para mandar aquecer meu quarto com bacias cheias de água quente; mas isso, com certeza, aumentaria a umidade malsã do aposento e pouco adiantaria. Quem poderia prever que aqui no Brasil viria a sentir o maior frio da minha vida? Minha nevralgia também não quer ceder e continuo hoje como semanas atrás.

Sua Ulla, com dor de dentes

São Francisco, 14 de agosto de 1881

Minha Grete do coração,

Neste país, os pretos representam o papel principal; acho que no fundo são mais senhores do que escravos dos brasileiros. Todo trabalho é realizado pelos pretos, toda a riqueza é adquirida por mãos negras, porque o brasileiro não trabalha, e, quando é pobre, prefere viver como parasita em casa dos parentes e de amigos ricos, em vez de procurar ocupação honesta. Todo o serviço doméstico é feito por pretos: é um cocheiro preto quem nos conduz, uma preta quem nos serve, junto ao fogão o cozinheiro é preto e a escrava amamenta a criança branca; gostaria de saber o que fará essa gente quando for decretada a completa emancipação dos escravos. Na nossa Europa muito pouco se sabe a respeito da lei referente a esse assunto, e imaginávamos que a escravidão fora abolida. Mas não é assim. Foi determinado apenas que do dia de sua promulgação em diante, 28 de setembro de 1871, ninguém mais nasceria escravo no Brasil. Quem já vivia como cativo nessa época assim permanecerá até a morte, até o resgate ou até a libertação. Os pretinhos nascidos agora não têm nenhum valor para seus donos, senão o de comilões inúteis. Por isso não se faz nada por eles, nem lhes ensinam como antigamente nenhuma habilidade manual, porque, mais tarde, nada renderão. Como são livres, porém, os brasileiros tratam-nos com mais estima e maior consideração do que os escravos natos.

Assim, hoje ao meio-dia, foram solenemente batizados oito desses cidadãos do mundo!

Na hora do café, tinha notado um velhinho esquisito que falava pouco, mas esse pouco numa língua completamente misteriosa para mim. O Dr. Rameiro respondia-lhe em italiano, que fala corretamente. O velho também despertara minha atenção por causa de um gigantesco lenço vermelho muito do seu agrado e pela incrível quantidade de bananas que comia, ou melhor, que devorava. Fiquei admirada ao saber depois que era um padre católico viajante, o que nunca seria capaz de supor, mesmo porque ele usava roupa civil. Era italiano de nascença e tinha estado em todas as partes do mundo; daí sua linguagem cosmopolita, que inventou muito antes de se terem ocupado com isso na Europa.

Ao meio-dia, abriu-se, na grande sala de costura, um importante armário parecido com um *buffet*, cujo conteúdo já me havia intrigado, aparecendo lá dentro a Mãe de Deus com o Menino Jesus, fitas, grinaldas, coroas, braceletes, colares e brincos. O preto Felício, que me acostumara a ver como alfaiate na máquina de costura, todo paramentado, ajudou o padre como coroinha. Tudo isso parecia tão estranho à minha alma evangélica. Gretel!

Então, uma após a outra, vieram as mães pretas com seus rebentos mais novos, todos muito bem vestidos e enfeitados com fitas de diversas cores; alguns tinham até vestidinhos brancos bordados, devidos à bondade da Santa Inquisição (aqui não posso chamá-las assim), que se haviam prestado a servir de madrinhas, fazendo cristãos a seus irmãozinhos pretos.

Aliás, por falar em cor, fiquei espantada de ver essas crianças serem de pele tão pouco escura, quase branca mesmo. "Eles vão ficar pretos" – disseram-me com um sorriso de desprezo, em parte relativo aos pretos e em parte à minha ignorância – "só as plantas dos pés e das mãos continuarão claras." Eles dizem que quando Cam emigrou para a África, tinha, por ordem de Deus, tocado com as mãos e os pés nas águas do Jordão, que recuaram, afastando-se dele; mas desse contato ficaram para seus descendentes, mesmo sob o sol ardente da África, essas partes mais claras.

A cerimônia começou e presenciei, calada, aqueles pequenos horrorosos de nariz chato e cabelo encarapinhado receberem nomes como César, Felício, Messias(!), Elias, Angélica, Maria Salomé, Marcela e Ruth.

Por que não haviam de receber os nomes mais bonitos? Afinal esses nomes de batismo, que o padrezinho velho da algaravia ítalo-latino-portuguesa lhes impunha por escolha e a pedido dos senhores são os únicos com os quais terão de se contentar para o resto da vida. Mesmo sendo casadas, a maior parte dessas mães não têm nome de família. Por isso, os escravos libertos, na falta de um sobrenome, adotam em geral, depois de livres, o da família dos antigos senhores. Agradável para eles, não é?

Já que falamos em pretos, quero contar um caso que se passou, aqui, há dias.

Foi numa noite da semana passada; lá fora estava fresco e agradável e achávamo-nos confortavelmente tomando chá, quando ouvimos de repente diante da casa um tímido bater de mãos que assanhou todos os cachorros e naturalmente despertou também nossa atenção. As palmas, aqui, substituem as campainhas e, quando se deseja entrar numa casa, sobretudo no campo, deve-se chamar a atenção, do lado de fora, antes de entrar, para não nos tomarem por ladrões. Todos se admiraram de chegar alguém tão tarde e mandaram o Toninho ver quem era. Ele foi meio assustado, mas voltou depois até a soleira em três alegres cambalhotas.

"Lá fora tem dois tios, senhor." Os pretos mais velhos são chamados de "tios" e "tias" pelos mais moços, mesmo quando não se conhecem. Acho que esse sentimento de parentesco entre párias contém qualquer coisa de comovente, não é?

"Dois pretos?" Não se podendo supor que algum dos vizinhos mandasse um recado àquelas horas, que desejariam eles? O Dr. Rameiro saiu e voltou depois de algum tempo; sua fisionomia, em geral tão alegre, estava sombria.

– Então? – exclamaram todos.

– Dois pobres pretos – disse – que me pedem pelo amor de Deus para comprá-los.

– De onde vêm?

– Da fazenda do Dr. Albus.

– Coitados! Ele é conhecido por maltratar seus negros – disse madame. – Meu marido não precisa senão de ameaçar um negro insubordinado de vendê-lo ao Dr. Albus para torná-lo imediatamente dócil.

– Que vai fazer, papai? – perguntou D. Olímpia.

– Que posso fazer, minha filha? – respondeu aflito o velho senhor. – Ele não há de querer vendê-los por bem e pedirá um preço excessivo; a não ser dessa forma, torna-se meu inimigo irreconciliável, se me declaro contra ele; e você sabe que muito provavelmente já lhe devo o violento incêndio da matá, no ano passado, que ninguém soube explicar.

– Então esses pobres coitados vão ter de voltar? – indaguei.

– Não posso deixá-los aqui em casa. São propriedade alheia e se os conservar sob meu teto por uma noite apenas, dificilmente poderei livrar-me da acusação de abrigar pretos fugidos; não posso arriscar-me a isso porque também possuo escravos e tenho necessidade deles. Essas provas de confiança são em si muito bonitas e lisonjeiras, mas profundamente desagradáveis. Não é a primeira vez que isso acontece.

– Existem então fazendas onde ainda se encontram as condições horríveis da *Cabana do Pai Tomás*? – perguntei.

– Tão terrível assim, não será em parte alguma e talvez nunca o tenha sido. O brasileiro é mais bondoso do que o norte-americano e entre nós a gente preta tem condição bem diversa. Veja, quando aqui se liberta um preto, concedem-lhe direitos iguais aos dos brancos: temos professores de cor, artistas, médicos, deputados e até ministros. E a princesa Isabel também dança com negros. O desprezo de um lado e o sentimento de amargura do outro não são aqui tão grandes como entre os nossos irmãos do Norte. Evidentemente, temos criaturas brutais que maltratam os pobres pretos, como vimos ainda há pouco.

– E o que vai acontecer agora a esses pobres-diabos? – indaguei.

– Vão receber uma boa surra à noite e serão tratados daqui em diante com maior severidade ainda. Mas essas safadezas são bem aborrecidas. Vou ver se depois consigo comprar-lhes a liberdade, recomendando-os a uma sociedade abolicionista.

– E se o dono não quiser vendê-los? – objetei.

– Se receber um preço razoável, é obrigado a vendê-los.

– Então, por que eles não se dirigiram a uma dessas sociedades?

– Isso é dificílimo, pois seria uma grande falta de inteligência se seus diretores aparecessem pelas fazendas; e como os pretos não sabem escrever, não dispõem de nenhum meio de comunicar-se com elas. Para a maior parte deles, o essencial é receber bom tratamento; a liberdade fica em segundo plano. Eles não têm ideias.

– Já tinha pensado nisso, diante do pouco que tive oportunidade de observar – exclamei. Se não fosse assim, mesmo bem tratados, viveriam cheios de rancor e ressentimentos.

– Mas posso assegurar que nesta fazenda nunca haverá isso, nem pretos insubordinados, porque cuido bem do bom tratamento e alimentação deles e tenho alguns, as pretas especialmente, que há muito tempo já poderiam ter comprado sua liberdade.

– É certo? Mas como ganham o dinheiro?

– Os que pedem, recebem um pedaço de terra para cultivar, e na casa-grande é com prazer que lhes compramos boas verduras; podem também criar galinhas cujos ovos vendem quando vão buscar a correspondência; e mais outras regalias: as horas excedentes do que é permitido em lei, do trabalho domingueiro, são remuneradas, os pretos e pretas empregados no serviço da casa recebem muitas vezes presentes em dinheiro, principalmente quando são, ou já foram, amas das crianças. A nossa gorda e risonha Ana é uma "tia" rica que deixará herança. Mas prefere ficar, porque tem boa vida aqui e gosta dos meninos. Não compreende a dádiva ideal que a liberdade representa!

Fiquei satisfeita com essa explicação, pois sempre nos alegramos quando as circunstâncias coincidem com nossos próprios pensamentos e conclusões. Tinha raciocinado dessa mesma forma e pensava que a brutalidade e a crueldade contra os escravos podiam provocar muitas vezes fatos bastante tristes, o que é fácil de se compreender; mas, por outro lado, não se pode exigir dessa raça que se acha escravizada há tantas gerações, concepções pessoais altamente civilizadas, nem pretender que adotem nossos conceitos sobre a liberdade, em relação ao homem, e de honra em relação à mulher, o que seria uma vã aspiração poética.

Mas percebo que, sob o disfarce de uma simples carta, estou ocupando sua atenção com um discurso econômico nacional; para vingar-se, você pode mandar imprimi-la, ou leia-a para os outros – dor partilhada é meia dor.

Agora vou me deitar e meditar sobre a direção em que a nevralgia repuxará meu rosto; meu espelho e eu não nos admiramos mais nem um pouco.

Boa noite, mas, como agora não é noite aí para vocês – bom dia.

Sua Ulla

São Francisco, 1º de setembro de 1881

Grete querida,

Voltamos ontem de uma "expedição" ao interior, quer dizer, de uma viagem à Província de Minas Gerais, onde ajudamos a inaugurar uma estrada de ferro. Quando me lembro, Grete, como pronunciávamos esse nome na aula de geografia, principalmente esse "Gerais"!... Não entendíamos nada disso e entretanto é tão simples: Gerais é o plural de geral e Minas Gerais não é nada mais do que a terra das minas gerais, isto é, a região rica em minas.

Essa província no Sul do Brasil corresponde ao que os nossos orgulhosos ocidentais pensam, quando se referem à Pomerânia ou à Prússia oriental: um pedaço de terra primitivo encerrando mais bondade do que civilização e tão mal-afamado como desconhecido. Mas a superioridade de Minas Gerais sobre essas províncias alemãs está na sua riqueza em metais preciosos, principalmente em ouro. A capital da província tem dois nomes: Ouro Preto, que quer dizer ouro escuro, e Vila Rica, que significa cidade rica em tesouros de suas montanhas e rios.

Para mim foi altamente interessante atravessar essas regiões tão diferentes da Província do Rio. Em volta da gente, veem-se montanhas descarnadas por todos os lados, como inúmeras galerias abertas por toupeiras; com o binóculo podíamos distinguir os trabalhadores, homens pretos, mulatos e brancos, procurando o valioso metal. Também ao longo dos rios que cortam os extensos vales, cobertos de farto capim, vimos vultos abaixados que durante dias e semanas lavam pacientemente a areia para separá-la do ouro. Alguns enriquecem, outros se sacrificam para ganhar somente o pão de cada dia, segundo o que a sorte reserva para cada um; comprei depois, em São João, de um pobre-diabo preto, meio dedal de pepitas de ouro por 22 marcos, fruto de oito dias de trabalho, como me declarou!

Parece que antigamente a exploração era mais regular em toda a parte e também mais considerável, de maneira que essa riqueza em ouro do país deu início às maiores colônias de conquistadores portugueses nestas paragens, dantes ainda mais inóspitas do que hoje, onde o transporte de pessoas, de alimentos e outros gêneros de necessidade era feito em dorso de burros (como em grande parte ainda se faz até agora), nestes lugares onde há vinte anos passados não se conhecia o pão e onde atualmente não existe ainda nenhum hotel.

Todos os hóspedes, que a cidade de São João del-Rei convidou para a inauguração de sua estrada de ferro, foram recebidos em casas particulares, o que me parece muito característico do Brasil, onde as desproporções estão na ordem do dia, e uma cidadezinha de setecentos habitantes recebe cerca de oitocentos hóspedes, distinguindo-se entre eles o imperador D. Pedro II, que amavelmente aceitou o convite.

Da família do Dr. Rameiro contavam com seis pessoas; mas como Madame (ou D. Alfonsina, como é chamada segundo o costume da terra), devido a um violento reumatismo, não quis ir de maneira alguma, convidaram-me então para substituí-la; e como você sabe, onde há qualquer coisa para se ver, podem contar comigo. Partimos alegremente, o doutor, a Inquisição, o pequeno Júlio e a minha modesta pessoa.

Primeiro tomamos a grande estrada de ferro D. Pedro II, já existente, que somente na Província de Minas se liga à nova linha. Com verdadeira liberalidade brasileira, essa estrada transportou os convidados não só pelos seus domínios sem nenhuma remuneração, como entendeu-se com a grande estrada de ferro, de forma que percorremos uma distância de mais de 100 milhas alemãs sem dispender um vintém!

Quatro horas antes de chegarmos ao nosso destino, começou o traçado da nova ferrovia. Baldear o mais depressa possível foi a palavra de ordem, quando o trem parou. Aquela pressa denunciava qualquer coisa anormal, pois no Brasil todo mundo diz: "paciência", e ninguém se precipita. Todos, porém, correram com desusada agilidade para a outra plataforma e então tudo se esclareceu. Você precisava ver o menor trem jamais sonhado, com vagões e locomotiva em miniatura! Mais rápidos que o raio nos acomodamos, para aliás esperar depois, paciente ou impacientemente, três quartos de hora até que o trenzinho se pusesse em movimento. É claro que, entre outros passatempos, medimos o vagão, tinha 1,65 m de largura!

Afinal, partimos: primeiro devagar, depois mais depressa, sempre mais depressa, avançando ousadamente através das montanhas e pontes, como se aquela coisinha minúscula nada receasse. E parecia conseguir mais que seus colegas pesadões. Com assombro e admiração, víamos o nosso trenzinho correr, serpenteando habilmente em torno de uma alta montanha cuneiforme e ir aos poucos esgueirando-se morro acima com segurança, para surgir três vezes na mesma paisagem.

Quando chegamos à cidadezinha de São João del-Rei eram onze e meia em vez de sete horas; mas não tinha importância, pois no Brasil quem se revela muito pontual não deve estar regulando bem. Todos se mostravam contentes.

Na estação embandeirada e enfeitada com festões, uma banda de música (na maior parte alemãs) tocava alegremente instrumentos de sopro; na plataforma comprimia-se a multidão inextricável que viera receber os hóspedes ou apenas bisbilhotar. Um santo de prestígio nos ajudou a desencavar um carro que nos conduziu sobre o calçamento mais perigoso que jamais ameaçou gente e veículo; mas, com espanto meu, depositou-nos sãos e salvos diante da residência dos nossos hospedeiros. Apresentam-me, e preparo o meu melhor português para pedir desculpas de aparecer sem ter sido convidada; mas aquelas fisionomias espantadas, os apertos de mão, os infalíveis dois beijos das senhoras, denunciam que minha presença se explica por si mesma, o que me satisfaz muito mais, sem dúvida alguma. Havia outros convidados e durante algum tempo ficamos nos aborrecendo ainda um pouco no salão, tentando conversar, nas filas em ângulo reto. Depois fomos para a cama.

Somos seis pessoas no quarto onde só há um lavatório e sinto horrivelmente frio, nesta mais que primitiva cama, pois várias fendas e frestas do soalho ajudam o ar fresco de um porão que fica embaixo a penetrar sem obstáculos. Não me admirei nem um pouco quando, pela manhã, vim a saber que a casinha dos nossos hospedeiros tinha abrigado 27 pessoas durante a noite! Em nossa terra elogia-se com toda a razão a hospitalidade brasileira. Mas não se deve encarar isso de maneira alguma do ponto de vista europeu. O hóspede brasileiro nada pede além de um colchão e um cobertor de lã, prescindindo de qualquer outra comodidade (de conforto nem se fala); e o hospedeiro no Brasil, fornecendo essas coisas, deixando que participem das suas refeições, do seu café, dos seus feijões-pretos e da sua carne-seca, julga-se dispensado de outras obrigações. Estou convencida de que são bem-intencionados, mas, na nossa terra, veríamos, nesse convite em massa e na maneira de tratar os convidados, uma falta de consideração ou uma certa sem-cerimônia simplória. Mas como já disse, a intenção é boa e não devemos ser ingratos.

A manhã foi movimentadíssima. Todos os convidados estavam de pé para ir visitar a cidadezinha e mesmo o mais pobre dos habitantes mostrava-se orgulhoso e amável porque se considerava um anfitrião.

Fomos primeiro ver as igrejas; o lugarejo tem nada menos de três e bem grandes, o que para o europeu, e principalmente o protestante, causa surpresa, em comparação com a precariedade das outras condições. E essas igrejas não são meras capelas de madeira ou simples casas de oração: mas, ao contrário, são grandes construções maciças de mármore português. Seu estilo não é bizantino puro, e tampouco gótico, e a maioria é de mau gosto e sobrecarregada, no estilo jesuíta [*sic*]. No interior, horrorizaram-me umas terríveis reproduções da Santíssima Trindade, representadas em toda a parte por imagens de madeira colorida de tamanho maior que o natural; os quadros oferecem também as mais extravagantes perspectivas que tenho visto.

Mesmo assim, permaneci com o maior respeito diante desses testemunhos da devoção de um povo, como nunca me senti diante das altas torres da encantadora catedral de Ulm nem da obra milagrosa do Domo de Colônia. Imagine pedras monumentais, da grossura de um pé e de dois metros de comprimento, pilares maciços, escadas, paredões por toda a parte e indague, depois, como conseguiram chegar até ali, conclua então que cada uma dessas pedras percorreu no dorso das mulas o caminho da costa ao interior, numa distância que requer hoje 16 a 18 horas de trem, em cujo percurso os animais gastavam de quatro a cinco meses! E pergunte-se agora: já não se levando em conta a espécie de trabalho desse admirável empreendimento qual o custo de uma obra dessas, não é de se ficar assombrada, e você não respeitaria, tanto quanto eu, o espírito de religiosidade deste povo, que antes de mais nada pensou em elevar altares ao seu Deus e em abrigar dignamente seus santos?

O dia seguinte, 29 de agosto, foi o da verdadeira inauguração, pois foi o dia da chegada do imperador. Já cedo, pela manhã, as beldades brasileiras, isto é, uma parte delas, vestiram seus mais lindos vestidos, elegantes *toilettes* de cerimônia, procedentes de Paris. Quem tinha dinheiro e relações, mandara realmente encomendar um vestido parisiense ou pelo menos do Rio, tratando de surrá-lo depois tanto quanto possível. Assim, você bem faz uma ideia dessas senhoras, que durante o ano todo se vestem de chita, exibindo trajes de cor vermelho berrante, azul forte e até verde e amarelo! A sobrinha do dono da casa onde nos hospedamos usava um vestido de cetim de cor *chamois*, confundindo-se com a da sua pele, e não me sairá nunca da memória. Era embandeirado de veludo vermelho e tinha um decote quadrado; a cauda enfeitada de rendas meio rasgadas redemoinhava no pó. Suas mãos morenas cheias de anéis seguravam um leque muito colorido e, em vez de chapéu, fizera um penteado exageradamente crespo, preparado na certa somente para essa ocasião. Na véspera, parecera-me uma pessoa de olhar bondoso, apesar de seu rosto moreno coberto de espinhas e de suas tranças que pendiam em desalinho; mas ninguém poderia ter se dirigido a uma estrangeira com maior gentileza: "Como vai? Vai bem?" Com esse traje, porém, estava *affreuse*. Será que percebia isso instintivamente? Pelo menos, de repente, alisou cerimoniosamente o meu vestido de veludo marrom, cujo calor suportei bem e que não ia além dos tornozelos e disse com simpatia: "A senhora está muito civilizada."

Também nesse dia foram por fim erigidos os arcos de triunfo que se achavam estendidos na rua e ainda por acabar. Eram executados da maneira mais primitiva, com bambu flexível, um grande no centro e dois pequenos dos lados. Deitados na calçada, foram revestidos com gaze multicolor e com intervalos de um pé, enrolados com fita. Aqui e acolá colocaram lampiões. Essa avenida de arcos de triunfo levava ao *logis* imperial e, se tivesse sido decorada com propriedade, poderia ter ficado muito graciosa. Mas com aqueles invólucros rijos e com a deficiente iluminação, quando os arcos foram erguidos do pó da rua no terceiro dia, apresentavam aparência desoladora, tanto mais que, para fixá-los, tinham aberto o calçamento espalhando as pedras desordenadamente. Diante da casa destinada ao imperador, um pórtico feito de madeira recoberta de papel fechava essa alameda de arcos aparentando solidez, no seu aspecto pesadão e atarracado. Numa outra rua, um pórtico também de madeira e papel azul-escuro pintado de várias cores, atingia o supremo grau de mau gosto humanamente permitido. Uma rua inteira julgou embelezar-se enfeitando-se com tinas pintadas de verde e amarelo, nas quais, entre as palmas verdes das palmeiras, uma bandeira rasgada esvoaçava. Somente o percurso da estação à cidade estava decorado dos dois lados com colunas esguias, enfeitadas de verde e amarelo e com delicadas bandeirinhas de aspecto muito agradável. Admirei-me de tanta falta de gosto e de habilidade. O que não teríamos realizado na nossa Alemanha apenas com os enfeites naturais que o Brasil possui! Dessem-nos somente os galhos balouçantes das palmeiras, as imponentes folhas de bananeira, essas laranjas reluzentes, com sua folhagem sombria: dispuséssemos desses variados e frágeis pinheirinhos do Brasil, dos cipós que têm às vezes dez a vinte metros de comprimento, dessas grandes flores luminosas e intensamente coloridas, das paineiras que dão uma seda cujos flocos brancos podem soltar-se como flores de neve, tudo isso nessa abundância que existe aqui, sem esses miseráveis trapos de tarlatana, sem necessidade de madeira nem de papel, vestiríamos a menor cidadezinha da Alemanha com roupagem de conto de fadas!

Você não é da mesma opinião? Agora, naturalmente quer ouvir-me falar do imperador.

Aí vai: Às sete horas da noite, naturais e estrangeiros acorreram à estação onde D. Pedro devia chegar e, como o trem atrasara quase três horas, não apareceram policiais nem funcionários da ordem, a fim de impedir que seus caros e leais súditos se comprimissem, dando tempo à multidão para empilhar-se formando um muro compacto.

Finalmente chegou o trem: a locomotiva quebrara-se pelo caminho e, enquanto providenciavam uma outra, o imperador foi obrigado a esperar duas horas na estação de Entere-Rios [sic], que ainda estava sendo pintada e atapetada. Mas, como se podia perceber, nada disso prejudicara seu bom humor. "Arranjaram também um concerto e um baile?", ouvimos quando ele indagou.

Cumprimentava sempre com o chapéu e com a mão; a imperatriz acenava à direita e à esquerda. Atravessaram seguidos pelo seu pequeno séquito, dirigindo-se com amabilidade aos seus súditos, encaminhando-se para a sala de espera (ofendi um brasileiro perguntando se aquilo era um corredor), onde seriam oficialmente recebidos pelos diretores da estrada. Nosso grupo aproveitou-se dessa curta demora para voltar mais depressa ao *logis* imperial, na cidade, onde nos seria permitido receber, todos juntos, o par imperial.

Nesse meio-tempo, acenderam-se as lâmpadas. Algumas faixas (cá entre nós) horríveis, foram as mais notadas nessa ocorrência. Muitas casas contentaram-se em colocar uma espécie de lanterna de carro de boi de cada lado das janelas. Num lado de uma rua estenderam uma corda onde penduraram lampiões, o outro lado da rua ficou escuro. O pórtico, em frente ao *logis* imperial, estava iluminado por uma fileira de lamparinas que fariam boa figura se todas estivessem acesas; mas algumas falharam e essa linha de luzes interrompidas prejudicava o conjunto. Parece-me às vezes que o brasileiro, com toda sua predileção pelo *show*, não acha prazer em se esforçar por realizar uma obra mais bem-acabada, como se isso contrariasse suas inclinações; no entanto, em geral, não é preciso um trabalho excessivo para conseguir-se um serviço mais perfeito. Será que eles não percebem isso?

Chegamos, atiramos o chapéu, o xale, e descalçamos a luva direita, porque a etiqueta brasileira não permite cumprimentar S. S. Majestades de luvas. Depois, ficamos em pé no corredor da entrada da casa – doze pessoas apenas. A multidão, com sua curiosidade satisfeita, parecia ter esfriado.

Nós doze (imagine, sua Ulla junto) representávamos os hospedeiros. A casa era propriedade particular emprestada ao hóspede imperial e pertencia a uma baronesa viúva que vive no Rio; os móveis de palhinha, mais que simples para o gosto europeu, eram em parte da mesma senhora e outra parte de outros patriotas. Quem possuía qualquer coisa bonita, tinha-a levado para lá. Revimos apressadamente todos os quartos, mas nada me parecia confortável, a não ser a sala de jantar onde havia uma mesa lindamente arranjada e decorada por um cozinheiro francês.

Quando descemos, um "cabo" berrava ordens diante da porta, para um piquete de soldados, com palavras de comando incompreensíveis para mim, executando um "direita volver" que me deixou no maior bom humor. Grete, nossos recrutas mais chucros fazem isso melhor. O "cabo" puxou um dos homens pelo botão da farda, trazendo-o mais para frente, empurrou um outro com a espada mais para trás e depois confiou à leal vontade deles que se mantivessem assim.

Nesse momento, um carro sacolejava estrondosamente sobre o calçamento. "O imperador!", trovejou uma voz. "Viva", gritou a pouco numerosa multidão lá fora. Curiosa, avancei minha cabeça: um senhor alto, imponente, de barba branca, apertava cordialmente a mão do Dr. Rameiro, que se achava perto da porta; depois, esse vistoso senhor entrou no corredor e apertou a mão das senhoras, que se inclinaram levemente, e a seguir a dos senhores. Prudentemente, colocara-me na última fila para poder imitar o que as brasileiras fizessem. Atrás do imperador, vinha uma senhora muito pequenina e um pouco disforme, vestida simplesmente de preto, sorrindo com benevolência e dando a mão a beijar. Eram o imperador e a imperatriz do Brasil. Você não pode fazer ideia do que sentia! Era tudo tão horrivelmente simples e eu imaginara de maneira tão diferente uma recepção aos imperadores oferecida por esses suntuosos brasileiros! Não havia nada impressionante!

D. Pedro oferece o braço à sua esposa e o casal sobe a escada lentamente. Nós os seguimos. Em cima, a imperatriz senta-se no sofá da sala de visitas, as senhoras presentes seguem o exemplo dessa única dama da corte, à direita e à esquerda, nas filas de cadeiras em ângulo reto, e a pobre princesa, velha e cansada, encontra ainda uma palavra amável para cada uma, enquanto o imperador, como se fosse um moço, sem o mínimo sinal de fadiga, se reúne aos senhores. Imagine, Grete! Ele falou também comigo. Primeiro, assustei-me quando se dirigiu a mim perguntando por meu tio que se acha em Nova York, mas viveu muito tempo no Brasil, tendo sido muito protegido pelo imperador. Parece que D. Pedro fala bem o alemão, mas comigo falou em francês. Depois de uma curta permanência de etiqueta, os hospedeiros deixaram a casa, porque os soberanos não se mostraram dispostos para um *souper* de cerimônia e assim, bem depressa, tudo ficou calmo e silencioso na casa da viúva baronesa.

Mas o repouso das altas personagens não durou muito. O Ministro da Agricultura, Buarque de Macedo, que fazia parte do séquito, já no caminho fora atacado por violento mal-estar; à meia-noite informaram ao Imperador, que dera ordens para tal, que o Ministro se aproximava do fim. Imediatamente, D. Pedro dirigiu-se para o lugar onde ele se encontrava. O irmão do Dr. Rameiro, que é médico e estava também hospedado na casa, foi chamado tarde demais: não se podia fazer mais nada. Durante algum tempo, o doente esteve entre a vida e a morte, depois, suspirou: "Minha pobre família"... E o imperador só teve tempo para tranquilizá-lo com breves palavras sobre o destino deles. Pela madrugada, D. Pedro voltou ao seu *logis*, através das ruas enfeitadas, e na madrugada seguinte seu carro o reconduziu até a estação. Todas as outras solenidades foram canceladas.

Mas creio que não perdemos nada com isso, porque a representação das "Cloches de Corneville", a que assistíramos um dia antes, fora péssima. Na *matinée* musical a orquestra teve de tocar com metrônomo e, como nem este adiantava muito, o regente batia o ritmo energicamente com o pé, o que nos fez rir de modo tão inconveniente que provocamos a indignação dos "indígenas" atentos, que nos julgaram muito mal-educados.

Tenho receio de sua indignação, se fizer a minha carta ainda mais longa. Portanto, por hoje – fim!

Sua fiel Ulla

São Francisco, 17 de setembro de 1881

Ah! querida Grete: se você soubesse como são amargos os dias aqui! Como as horas se arrastam, como tudo me parece pesado! As crianças são travessas, a Inquisição apática, a casa inteira é barulhenta e sinto-me tão só, tão indescritivelmente solitária! Depois, tudo isso começa a me enervar demais. As dores nevrálgicas continuam, menos fortes, graças a Deus, mas tenho tido enxaqueca muitas vezes, o que atribuo ao barulho e à falta de conforto na organização da casa. Os nervos dessa gente devem ser de aço – infelizmente! Do contrário teriam consideração para com os dos outros.

Imagine a seguinte cena, consulte depois seus próprios nervos e veja se eles a suportariam.

Costumo dar aula de piano no chamado quarto de trabalho de d. Alfonsina, porque as crianças não estudam no piano de cauda da sala de visitas, mas num veterano piano de armário. A dita sala de trabalho fica no centro da casa e diversos cômodos se comunicam com ela: uma despensa, o banheiro, o dormitório das crianças, os da Inquisição, um vestiário e a sala de costura. Por aí, poderá calcular o barulho que se ouve nesse agradável recinto, em condições normais:

hoje, porém, foi como se o *Old Gentleman** ali se divertisse. Tinham aparecido camundongos na despensa e, sem demora, D. Alfonsina chamou duas pretas e um preto dando-lhes ordem para esvaziá-la inteiramente, a fim de descobrir os buracos. Enquanto junto ao piano desafinado eu, resignadamente, contava o meu *un, deux, trois* – e Leonila, perseverante, cometia os mesmos erros –, sob a ruidosa direção de D. Alfonsina erigia-se, à volta de nós, uma barricada de caixões, barris, sacos etc. O barulho que isso provocava, as ordens gritadas e as ocasionais censuras da patroa por si só já eram estonteantes! Além disso, estava aberta ao lado do piano a porta da sala de costuras, de onde nos chegava o ruído de duas máquinas; do quarto vizinho vinham as choradeiras dos balaios, entremeadas com o chilrear dos papagaios e dos outros pássaros! Para completar, uma mulatinha à qual D. Gabriela ensina a ler, devido à barricada que se empilhava no canto onde estuda, postou-se de repente atrás de minha cadeira soletrando o seu monótono b-a, ba, b-e, be, b-i, bi!... Era demais! Levantei-me furiosa, peguei as músicas, chamei Leonila e acabei a aula no salão. Levaram isso a mal e em toda essa história a desrespeitosa fui eu!

Sim! Sim! É reprovável quando as pessoas têm nervos demais; mas não ter nervo algum é muito pior. E assim julgo os brasileiros. Duvido que minha saúde resista por muito tempo. Escreva-me muitas vezes. Sinto-me desamparada e afastada do mundo. Se ao menos pudesse ver um ser alemão!

Sua pobre Ulla

---

* Nome jocoso para demônio.

Afinal mudei de quarto; não aguentava mais o outro por causa da umidade, da falta de sol e também porque um dia destes vi uma cobra bem embaixo da minha janela. Oh! estes animais asquerosos!

    Diversas vezes temos visto algumas delas.

São Francisco, 5 de outubro de 1881

Minha querida Grete,

Parece que a Providência atendeu ao desejo que lhe manifestei, na última carta. Um ser alemão chegou aqui. É o mais extravagante que se possa imaginar e tornou-se o divertimento da casa inteira, mas, preciso confessar, o meu também. É um senhor de meia-idade, naturalista, que veio recomendado por um colega italiano ao Dr. Rameiro, tendo-lhe este oferecido a casa, durante a sua permanência nesta região do Brasil.

Nosso bom conterrâneo, cujo francês é inteiramente falho, procura em vão adaptar seu latim de sotaque alemão ao português; mas se não me encontrasse para intérprete, estaria completamente perdido. Ele é um "sábio", desses descritos nos livros, e mesmo no nosso país, com seu pedantismo e com seu vestuário ridículo, seria cômico; aqui, apesar das fisionomias paradas da Santa Inquisição, percebo que ficam todos encantados por poderem caçoar de alguma coisa alemã; na certa, estão convencidos de que todos os alemães são iguais a este professor. Para o que se considera uma boa prosa ele não foi feito, mas é um concidadão e ouço palavras alemãs! Que prazer, Grete! Seria capaz de beijar esse feioso pedante, só por ele ser alemão.

Mas desejo contar um caso que lhe aconteceu ontem e me fez rir como ainda nunca tinha rido desde que cheguei aqui.

Ontem foi domingo e, à tarde, quando me achava sentada diante da porta, gozando minha folga, apareceu na minha frente um vulto o mais estranhamente equipado deste mundo: grandes óculos azuis sobre o nariz, chapéu de palha branca na cabeça, uma lata a tiracolo, uma rede verde de caçar borboletas no ombro. No bolso direito, uma obra sobre botânica; no esquerdo, um grosso volume sobre a vida dos insetos: quem mais se poderia encontrar sob tais apetrechos, senão um sábio alemão? Nosso caro professor convidou-me para acompanhá-lo em sua primeira excursão de explorações na fazenda, mas a coisa não me tentava muito, o sol ainda queimava forte demais, de forma que me escusei. As crianças saíram para brincar diante da porta, D. Gabriela e o doutor sentaram-se no banco ao meu lado.

Estávamos instalados havia apenas uns três quartos de hora, quando, de repente, levamos um susto terrível!

Na curva fechada que o caminho faz ao lado da casa, precipitava-se sem fôlego, sujo até o pescoço, com um sapato coberto de lama e o outro substituído por ela, sem óculos, sem chapéu, sem lata e com a rede de caçar borboletas na mão como se fosse uma bandeira, o que ainda restava de um sábio alemão que saíra para estudar a natureza! Arquejante, caiu sobre o banco, enquanto o Dr. Rameiro, horrorizado, olhava para ele, depois para mim, perplexo, implorando meu auxílio ao mesmo tempo que eu exclamava: "Mas o que foi que lhe aconteceu?"

– Aconteceu... *ach*! Oh! Perseguiram-me!... Quiseram matar-me!... Assassinar-me! Ai! As minhas lindas plantas: uma orquídea; assim! E os bichos de pé... dos quais tinha um magnífico exemplar embaixo das lentes!

– Mas, pelo amor de Deus! Quem foi que perseguiu o senhor?

– Quem? Os selvagens! Os canibais! Estes, *ach*!

– Que canibais?

– Veja! Veja só como aquele sujeito vem correndo, nem o senhor poderá detê-lo! Vamo-nos abrigar dentro da casa?...

– Mas é um preto da fazenda!

– Sim, é, sim, como queira; mas asseguro-lhe que é um selvagem e só a muito custo consegui escapar-lhe – gritava o pobre homenzinho, com grande desespero; depois, juntando suas derradeiras forças, embarafustou pela casa adentro.

Sorridente e abanando a cabeça, eu traduzia seus excitados aforismos para o doutor, que me ouvia sacudindo os ombros. Um preto ofegante aproximou-se, segurando na mão esquerda o livro de botânica e na direita o dos insetos; estendia um para mim, outro para o doutor e disse duas vezes, arquejando: "Sos kiss, sos kiss."

– Que há? – gritou-lhe seu patrão.

– Senhor! Sim, senhor! – dizia o preto. – O senhor alemão que está aqui ficou louco!

Nós dois não pudemos conter o riso.

– Ele nos disse que vocês são selvagens. Que lhe fizeram?

– Nada, não, senhor! A gente estava trabalhando no café, quando veio o senhor alemão. Corremos para ele para dizer "sos kiss". O senhor não viu e andava mais depressa, sim, senhor. Então fomos mais perto dele e ele começou a correr na disparada, atirou a caixa, o chapéu, os livros e foi para o brejo do lago de São Jerônimo, sim, senhor. A gente gritava, mas ele não queria ouvir e corria cada vez mais. Berramos bem alto para o senhor não entrar no brejo, mas ele continuou correndo, sim, senhor, e atravessou o brejo!

Essa narração meio gaguejada era entremeada de inúmeros "sim, senhor", absolutamente sem sentido, como você pode ver. Durante esse tempo, atrás do escravo, amontoava-se um grupo de pretos seus companheiros: um segurava o chapéu, o outro a caixa, um terceiro os óculos quebrados, o quarto o sapato enlameado do pobre cientista: e todos muito aflitos, com seus infalíveis "sos kiss", estendiam-nos esses variados objetos.

A cena, descrita só pela metade, já era tão inacreditavelmente cômica que rebentei num riso incontido, ao qual o doutor aderiu afinal, deixando os bons e pobres pretos completamente espantados.

– Ponham tudo aqui – disse finalmente o doutor. E lá se foram aqueles pobres coitados, deixando sobre o banco os tristes restos da expedição de um naturalista.

– Por que se teria assustado tanto seu patrício alemão? – perguntou-me o doutor, enxugando as lágrimas, de tanto rir.

– Bem posso imaginar – respondi, sufocando minha própria hilaridade. – Não seriam, por acaso, aquelas mãos estendidas e o "sos kiss" que da primeira vez também me pareceram tão misteriosos? – O doutor riu de novo.

– Nossa senhora! Pode bem ser. Ha! ha! ha! Justamente, a saudação deles, sua cortesia! Reconheço que essas mãos duras, estendidas, não têm nada de um gesto gracioso, nem aqueles enigmáticos "sos kiss"! A senhora tem razão. Quem poderá reconhecer através deles a linda saudação "Louvado seja Nosso Senhor Jesus Cristo"?

Divertida em extremo, mas com a expressão mais compungida deste mundo, fui ao encontro do nosso caro professor, que repousava ofegante, na cadeira de balanço.

– Por que se assustou tanto? – perguntei-lhe em alemão.

– Meteram-me tanto medo! Apavoraram-me! Oh! Isso é revoltante! Isso é contra a hospitalidade: todos esses pretos miseráveis mendigando! Como permitem uma coisa dessas? Precisava ver a quantidade de mãos estendidas. Mas quem é que leva dinheiro consigo quando vai à procura de plantas? Fingi que não estava vendo esses canibais e então, com gritos selvagens, perseguiram-me até chegar à casa. Deviam ter ouvido suas vozes.

Com o doutor muito embaraçado ao meu lado, eu continuava rindo. O professor, furioso, lançava-me olhares de desprezo.

– Desculpe-me – balbuciei finalmente –, mas é cômico demais.

– Cômico??!

– Ouça-me – e então expliquei-lhe o que o preto contara em relação ao caso. O rosto do professor foi-se transformando e mudando da expressão de raiva desconfiada para as de assombro, constrangimento, alívio, bom humor, até a de sincera ironia para consigo mesmo; e satisfeitos rimos enfim todos os três.

"Agora, seu patrício tem de ir ver os nossos pretos de perto, para livrar-se dessas ideias de canibais", disse mais tarde o doutor e saímos então os três juntos para curar o medo do professor.

Por toda parte, nas proximidades das cabanas dos pretos, simiescos negrinhos vinham correndo ao nosso encontro e murmurando "sos kiss", ao que o professor corajosamente respondia: "Para sempre." Olhamos para a primeira cabana.

Uma espécie de armação das mais grosseiras, feita de tábuas e recoberta por uma esteira de palha de milho; um cobertor de lã, vermelho, um bauzinho de latão, uma mesa indescritivelmente primitiva, além de algumas panelas, pratos e pequenos utensílios, eram a única ornamentação do cômodo sem janelas. Num canto, havia um fogo aceso, onde uma preta preparava uma comida qualquer.

– Deve ser horrível ter-se de fazer fogo dentro da cabana – disse eu. – O senhor não permite que com um calor destes essa pobre gente acenda o fogo fora da casa?

– Permitir? Tentei um sem-número de vezes vencer-lhes a resistência, mas o preto sente-se infeliz e fica até doente se lhe tiram seu foguinho. Eles sentem necessidade dele tanto no inverno como no verão e nunca dormem nas cabanas sem as suas brasas.

– Que horror! – gemia o professor – E além de tudo, sem janelas!

Com certeza, no começo, isso foi determinado para impedir as fugas, pois as janelas não podem ser bem fechadas como as portas. Mas agora o preto já se acha tão acostumado, que, ao ser libertado, construindo sua própria cabana, também não lhe abre janelas.

– Que estão cozinhando todas essas mulheres? – indaguei. – Todos os cativos são alimentados pela fazenda?

– Os casados, só ao almoço; o jantar é preparado por suas mulheres, às quais fornecemos as rações.

Diante de uma das últimas casas, alguns pretos muito velhos e alquebrados levantaram-se balbuciando "sos kiss", ao nos aproximarmos.

– No que são ainda utilizados? – perguntou o professor impressionado.

– Em coisa nenhuma – disse sorrindo o doutor. – Mas não posso afogá-los; envelheceram ao meu serviço e agora recebem o pão da caridade. Já os libertei, mas não tenho coragem para despedi-los com a sua liberdade e a sua incapacidade para o trabalho, sujeitando-os a mendigar miseravelmente. É melhor que os pretos velhos e cansados morram aqui.

– Muitos fazendeiros pensam dessa maneira? – perguntei.

– Sim, graças a Deus e não há nada mais justo. Dizer a uma criatura velha: "Você é livre, não sou mais obrigado a sustentá-lo; siga seu caminho", seria uma barbaridade! "Quem come a carne fica com os ossos também", diz um dos nossos provérbios.

– Tenho receio, senhor doutor – observou com sutileza o nosso professor –, de ter vindo a uma fazenda onde só me fazem ver o lado bom da escravidão.

– Isso não faz mal – exclamou amavelmente o doutor. – Se já escreveram tanto sobre o lado contrário exagerando-o bastante, não é mau mostrar também o lado melhor. Seria errado julgar que represento um caso isolado; muitos fazendeiros também tratam como eu seus escravos, alguns por mero interesse. Os aspectos tristes, a falta de liberdade, a corrupção moral de muitos, a ignorância de todos, tudo isso, porém, existirá enquanto houver escravos, o que, no momento, infelizmente não podemos dispensar.

– Mas é estranho como esse lamentável aspecto me fazia muito pior impressão na Europa do que aqui. Acho que isso acontece a todos nós! – disse pensativa.

– Talvez seja porque conhecia apenas o que era condenável – comentou sorrindo o senhor de escravos.

Sabe, Grete, já lhe desculpei há muito tempo sua falta de elegância e por não andar vestido com roupas de diversas cores, como o brasileiro da opereta "A pequena luveira". É um bom homem e, junto dele e de sua mulher, sinto-me bem amparada aqui. Mas a Inquisição, ah! a Inquisição...

Sua Ulla

O professor continua sua viagem amanhã.

São Francisco, 22 de outubro de 1881

Minha querida Grete,

Na sua última carta, você pergunta se na vizinhança não conheço alguma colega a quem me possa confiar. Meu coração! Vizinhança é o que absolutamente não existe aqui. As fazendas mais próximas ficam entre 4 e 6 milhas de distância e não há cidade ao nosso alcance. Minha má estrela determinou que só haja crianças crescidas nas fazendas onde por acaso poderíamos chegar; mas seus proprietários são tão modestos que não podem manter nenhum professor aqui. Sendo assim sou eu a única na região, o único tradicional peito sentimental. Às vezes choro de desespero, mas sob nenhum pretexto você conte isso a mamãe!

    Gostaria tanto de sair um pouco daqui! Ir ao menos até ao Rio para conhecer melhor a cidade que vi tão superficialmente na minha chegada e que me pareceu tão linda; ainda guardo minhas cartas de recomendação para uma família alemã e para um comerciante muito rico, amigo de meu tio de Nova York. Ficaria mais tranquila se tivesse um apoio qualquer neste país estrangeiro...

Desculpe-me, Grete, por já terminar; estou deprimida e morta de cansaço, mas queria ao menos mandar-lhe uma saudação.

Sua Ulla

São Francisco, 3 de dezembro de 1881

Que longo intervalo, não, minha querida Grete? Mas você vai me perdoar quando souber que estive doente. Apanhei uma detestável febre palúdica que, aliada ao cansaço excessivo que me causa este emprego, principalmente devido às lições de música, me deixou pedagogicamente inutilizada.

Hoje, dia de meu aniversário (*ach*! Grete! Ninguém sabe disso, não recebi felicitações de ninguém, nenhuma flor, nenhuma carta, nada!), levantei-me pela primeira vez e quero ver se por estes dias vou ao Rio consultar um médico.

Lembre-se cordialmente da

Sua Ulla

Dê este cartão ao seu irmãozinho para a sua coleção.

Rio de Janeiro, 24 de dezembro de 1881. De noite.

Noite de Natal, com 25º (graus Celsius) à sombra! Como acho estranho estar longe de minha terra e *ach*! Grete, como é triste! Ninguém nesta cidade colorida e barulhenta parece pensar no Natal; a vida pública não se ressente com isso e nada nos faz lembrar esses dias santos. Talvez algumas famílias alemãs desta cidade tropical enfeitem alguma exótica árvore de Natal (nossos pinheiros não existem aqui), mas não verei brilhar nenhuma delas. Os Kleins receberam-me tão friamente que lá não voltarei mais; isso muito me admira, ainda mais sabendo que Frau Klein foi antigamente educadora aqui e deve conhecer o estado de espírito de uma criatura solitária. Até agora não pude encontrar o amigo de meu tio. Faça portanto uma ideia de sua pobre Ulla sozinha, num quarto de hotel, pensando em vocês, meus queridos, com inacreditáveis saudades de todos e de nossa cara e linda Alemanha!

    Pela janela aberta, entra esse estranho ar quente e úmido dos trópicos e vejo as estrelas surgindo no céu que vai escurecendo. Na moldura da janela lateral, destacam-se as palmeiras do Corcovado, essa encantadora montanha coniforme que fica por trás da baía de Botafogo e cujas fontes famosas fornecem ao Rio magnífica água potável. Os habitantes da cidade orgulham-se dessa preciosa dádiva da natureza e um provérbio diz: "Quem bebeu água da Carioca (fonte) nunca põe outra água na boca."

Como seriam poéticas certas impressões aqui, se fosse possível gozá-las em paz! Mas, das cidades que tenho visto, não conheço nenhuma tão barulhenta como o Rio. Em comparação, a estadia em Berlim é como se fosse num lugar de veraneio para acalmar os nervos; nem Londres achei tão ruidosa! Passam com estrondo os bondes de burros, tocando repetidamente os sinais de alarme; pequenos carros ingleses de um só assento denominados tílburis estrepitosamente correm a galope sobre o mais horrível dos calçamentos que você possa imaginar. Os cavaleiros também tocam sem piedade seus cavalos a galope e diversas vezes, nestes últimos dias, cheguei à janela pensando que algum animal tivesse disparado. Vendedores de água, vendedores de jornal (estes, justamente, são tão intoleráveis como os papagaios da fazenda), vendedores de balas, de cigarros, de sorvetes; italianos apregoando peixe; realejos e outros instrumentos, não se levando em conta os inúmeros pianos soando janelas afora, tudo isso atroa pelas ruas estreitas, onde os sons estridentes se prolongam indefinidamente. De mais a mais, toda esta gente, a começar pelos pretos adultos, possuem vozes estentóricas que fazem a gente estremecer quando por acaso nos aproximamos deles. Complete essa festa dos ouvidos com o crepitar dos foguetes queimados dia e noite, com as monótonas e rudes vozes das inevitáveis conversas entre pretos, sob nossas janelas, acrescente, ao mais, um desajeitado dedilhar de viola a curta distância e depois inveje-me se puder. Volto a admirar aqui a resistência dos nervos dos nativos; apesar do barulho ensurdecedor, vivem todos na rua ou mais ou menos na rua. Se, segundo o princípio sustentado por um famoso professor de Berlim, todo homem culto procura viver recolhido em sua casa, chegaremos à conclusão que, em matéria de cultura, nos encontramos aqui em condições idênticas às de Abraão em relação aos justos, em Sodoma. Os pretos desocupados não se encontram senão na porta da rua fumando e cuspindo; as crianças rolam na rua de manhã à noite; o pequeno negociante e até mesmo o melhor comerciante das ruas mais distintas postam-se na porta quando não há freguesia, tagarelando com quem passa; quando o sol permite, cada sacada e cada janela fica ocupada por basbaques ociosos. A casa parece não possuir força de atração suficiente, nem utilidade, pois em caso contrário, ninguém se divertiria em bisbilhotar sempre como novidade o movimento da rua. Essa vida plebeia de rua exerce uma terrível influência sobre a vida na intimidade. Numa boa sala brasileira, fica-se como numa vitrina, com todas as janelas escancaradas, porque os nacionais são de opinião que mantendo-as assim, como todas as portas também, a casa se torna mais fresca. Concordo com a última parte, que serve para remediar à custa das correntes de ar a primeira tolice – mas por que não procuram melhorar a temperatura protegendo as janelas contra o sol abrasador, durante o dia? Compreendo agora a razão de não possuírem ainda os brasileiros nenhuma obra notável sobre assuntos científicos; esse mesquinho gênero de vida não permite que se forme o raciocínio lógico. **Para se concentrar o pensamento é necessário um espaço fechado, onde não se passem milhares de fatos exteriores, afastando-nos do assunto que nos interessa.** Acho que era a isso que o professor se referia no seu *dictum* original.

Naturalmente, o Rio neste momento não me convém de modo algum como estadia. O médico mostra-se muito descontente com o estado de meus nervos, esgotados pelo trabalho, o barulho, as dores nevrálgicas, e me aconselhou insistentemente a não retomar meus encargos em São Francisco, mas a me despedir da Inquisição, dos papagaios, das cinco aulas de piano diárias e, antes de mais nada, a ir a Petrópolis por quatro semanas (estação climática famosa, além da baía) para me refazer da febre. Petrópolis é também a residência de veraneio do imperador e durante estes meses toda a diplomada foge do calor e da febre amarela, para lá.

Neste instante, Mrs. Carson, senhora do dono do hotel, acaba de me convidar para jantar com eles na sua sala particular. Os Carsons são ingleses e gente muito simpática. Seus filhos recebem educação na Inglaterra e, se por isso não festejam um autêntico Natal, parece que perceberam como é triste esse dia para um solitário coração alemão.

Escreva-me com minúcia, contando o que se passou em nossa casa, descrevendo-me tudo, como fazíamos em crianças; cada objeto que você recebeu de presente, cada palavra serão para mim como um pedaço da Alemanha. Enderece suas cartas para o Hotel Carson, rua do Catete, e faça com que elas sejam muitas.

Sua Ulla

Petrópolis, 15 de janeiro de 1882

Minha queridíssima Gretelein,

Alegre-se comigo, pois recuperei meu bom humor que havia perdido; ou, quem sabe, resolvi agarrar o traquinas pelo colarinho, quando já me sentia com a corda no pescoço?

Escrevo num ambiente que podia servir como lindo modelo de belchior. Nos pregos das paredes estão pendurados meus vestidos e casacos, em pitoresca desordem. A cama acha-se coberta de fitas espalhafatosas, de chapéus e xales; sobre as cadeiras a roupa branca está tomando sol. Do peitoril das janelas, cinco pares de botinas e sapatos espiam compenetrados os grupos de bananeiras lá fora, enquanto sobre eles esvoaçam as minhas luvas, ao zéfiro do meio-dia, penduradas num barbante...

Esse é o estado do meu guarda-roupas, pois tenho-o arejado de três em três dias, desde que descobri que, agindo por outra forma neste país tão fértil, até os sapatos e os vestidos se cobrem de uma luxuriante vegetação! Essa proliferação espontânea das plantas seria de resto apreciável se não acarretasse tantos prejuízos! Neste particular, o destino persegue meus sapatos, luvas e sedas; todas as lindas luvas de pelica compradas em Antuérpia estão manchadas.

Mas desejo contar-lhe minhas aventuras desde o começo:

Quando voltei no dia seguinte ao do Natal para São Francisco e declarei não poder continuar por mais tempo, tiveram uma surpresa desagradável; mas minha doença de quatro semanas e minha aparência ainda miserável amoleceram mesmo aqueles corações, de maneira que não colocaram obstáculos no meu caminho. Dissemo-nos "*adieu*" e parti; nunca tinha feito uma despedida assim em minha vida! Não senti nem um pouco deixá-los; ao contrário, percebi que nenhum deles me faria falta e ao mesmo tempo notava com lucidez que nem mesmo as crianças se tinham apegado a mim. Não se consegue fazer intimidade com as pessoas daqui, que apenas lastimavam a *gêne* de ter de procurar uma nova governanta.

No dia de São Silvestre viajei para cá em três etapas: primeiro em navio atravessando a baía, depois de trem até a montanha onde fica Petrópolis e depois de "ônibus" [*sic*] até ao alto, seguindo por uma estrada muito bem construída. Consegui um lugar bastante bom num dos cinco carros e fiquei tranquila quando vi que minhas malas tinham tido a mesma sorte.

Mais ou menos na metade do caminho, houve uma parada e todos se amontoaram em volta de uma barraca onde se podia comprar café, bolo e frutas. Estava faminta e tomava com sofreguidão a xícara de café, mordendo do mesmo jeito um pedaço de bolo que pegara, quando senti nele um gosto meio suspeito; examinando mais de perto o segundo bocado, percebi que estava preto de formigas, das quais, sem dúvida alguma, já engolira respeitável quantidade. Brrr! Não é? Pois bem, como você verá, já me acho tão abrasileirada que, indiferente, livrei meu pedaço das formigas restantes e muito sossegada comi o resto do bolo, acompanhando a segunda xícara de café. Isso irá provocar ainda mais o seu desprezo, como despertou o espanto e a admiração de um jovem francês, que me fez uma observação espirituosa à qual imprudentemente respondi; daí por diante, esse galante inimigo hereditário começou a cacetear-me. Por sorte encontrava-se noutro carro, pois se tivesse de comer e de beber tudo o que me ofereceu em cada parada, com certeza não teria chegado viva a Petrópolis.

Aqui, fui primeiro para o Hotel Alemão. Encaminhei-me depois para a residência do Sr. Goldschmidt, negociante amigo de meu tio, que possui um palacete dentro de um parque maravilhoso. Mora lá com a família e como já o tinha encontrado no Rio, ultimamente, não era essa a minha primeira visita.

Fui recebida na sala e pediram-me para esperar um pouco.

"Está desempregada?", gritaram de repente atrás de mim; e Frau Goldschmidt, brasileira muito viva, falando correntemente, mas incorretamente, o alemão, apresentou-se sorridente (ela ri sempre), meio desconfiada, diante de mim.

Grete: essa multimilionária, com receio de que eu talvez esperasse qualquer auxílio de sua parte, era tão indizivelmente cômica, que minha boa disposição voltou como por encanto e dei uma gargalhada. D. Albertina olhou-me rígida.

– Desculpe-me – disse também com certa grosseria –, mas achei tão engraçada sua primeira pergunta ser justamente essa! Não tenho emprego, mas encontrarei um, se for preciso.

Depois veio o marido:

– Olhe, minha Fräulein – pontificou –, sempre me considerei um homem rico, porque só gastava a metade do que ganhava. Cheguei ao Rio com 50 marcos e hoje possuo alguns milhões. E tudo isso segundo o mesmo sistema. Mas o que lhe queria dizer – vá falar com a nossa Miss Dahlmann; nós não temos governanta morando conosco porque não gosto de gente estranha em minha casa. Ela é anglo-germânica, mora em casa de uma modesta família alemã na vila e poderia dar-lhe boas indicações a respeito de moradia mais em conta. No hotel a senhora está gastando demais, o que, segundo meus princípios, me parece errado, sempre segundo meus princípios, minha senhora.

O homenzinho divertia-me a valer, com sua enxurrada de palavras, ditas *mezza-voce*, e revelando a sua mania de colocar os polegares nas cavas do colete. Apesar de não ter pedido sua opinião sobre minha hospedagem, decidi seguir os seus conselhos, visitando Miss Dahlmann, que pelo menos representava uma companhia para mim.

D. Albertina convidou-me para o desjejum que estava servido.

– Olhe, minha senhora – recomeçou o marido (parece que adora principiar sempre assim) –, só convido gente para o café da manhã, mas nunca para almoçar. Comemos às seis horas: logo depois chega a correspondência da noite que preciso examinar com calma, sentindo-me perturbado se alguma pessoa estranha está presente. Compreende? Para o café da manhã pode vir quem quiser, pois isso me incomoda muito menos. – E no mesmo momento pôs os polegares nas cavas do colete.

Estava na hora da partida, Grete, senão me teria divertido mais um pouco na casa dessa gente, pois já sentia o riso na minha garganta. Disse-lhe que já havia almoçado antes de vir e desejava ainda encontrar Miss Dahlmann, se quisessem dar-me o seu endereço. Decerto não contavam com livrar-se de mim tão facilmente e, satisfeitos com isso, tornaram-se de repente muito amáveis, insistindo em mandar um preto acompanhar-me, o que aceitei. Não há nada melhor do que boas cartas de recomendação para patrícios nossos, em terras estrangeiras!...

Miss Dahlmann é alguns anos mais velha do que eu, um pouco cerimoniosa, à moda inglesa, mas foi bastante bondosa para auxiliar-me, britanicamente empertigada, a conseguir acomodação na pensão onde reside e onde fazemos também nossas refeições. Ela é minha única companhia aqui; e mesmo não se mostrando amável, não é desagradável. Olha a vida em geral com muito maior frieza do que eu e acho que por isso suporta a companhia dos Goldschmidts. Já tomei *ad notam* alguns conselhos úteis dados com segunda intenção ou sem querer e creio que, ao sair daqui, terei mais tato social do que quando cheguei.

Petrópolis, segundo minha opinião, é um miserável lugarejo, cujo principal divertimento para os veranistas é ir toda tarde ao ponto final da estrada mexericar à chegada de novos viajantes. O palácio do imperador é um longo edifício, extenso mas horrivelmente banal, onde nada se observa de notável, a não ser suas inumeráveis janelas. Levarei comigo um peso de papel, em vidro, onde se acha reproduzida a fachada do palácio; e também alguns vasinhos com Lembrança de Petrópolis. Esses objetos são porém muito pouco originais, porque vêm todos da Europa e apenas são gravados aqui. Aprecio muito mais os finos trabalhos de entalhe e torneado, executados por um alemão que possui uma casinha encantadora e pacata; ele também é um velho pacato, com uma pacata e numerosa família. Vou até lá muitas vezes, para passear durante um tempinho e para ouvi-lo descrever as origens de Petrópolis; comprei dele uma caixa de tabaco, feita com fruta-pão e enfeitada com a figura de um índio, em trabalho de entalhe.

Os outros moradores alemães são quase todos camponeses sem nenhuma instrução. Conservaram a língua e alguns maus hábitos alemães, mas em geral já adotaram os costumes do país. Há muito tempo que Petrópolis não é mais uma cidade tipicamente germânica como o foi em sua origem. Instalaram-se aqui colonos de todas as raças, ouvem-se todas as línguas, entre as quais prefiro um charabiá formado de português negro e plat-alemão: "*kiek mal, ob dat noch schuwet*",* "*esperense mal en beten*",** "*ich kann ainda nicht*".*** E coisas semelhantes ouvem-se muito aqui.

---

* "Veja se ainda está chovendo."
** "Espere um pouco."
*** "Ainda não posso."

Não é preciso dizer que a situação é maravilhosa! Colocada no alto de uma montanha, entre infindáveis matas virgens, oferece magníficos passeios, em boas estradas, o que no Brasil é raríssimo. Penetrar na floresta não é fácil, pois fecham-se logo com os matagais e os cipós.

Provavelmente ficarei ainda este mês; desejo ir depois ao Rio para conhecer melhor a cidade e tentar a minha sorte. Estou agora menos nervosa e sinto-me com mais coragem.

Mil lembranças da sua velha Ulla

Há alguns dias Miss Dahlmann e eu encontramos a imperatriz passeando a pé com uma dama da Corte, e no domingo vimos o imperador, a princesa e seu marido, o Conde d'Eu, com os três principezinhos passeando todos juntos, na mesma carruagem.

Rio, 8 de fevereiro de 1882

Grete do coração,

Cá estou de novo nesta colorida e ruidosa cidade tropical. Grete – é preciso confessar que este Rio é fantasticamente lindo e maravilhoso, visto da baía, como o vi na minha chegada e novamente agora, na minha volta de Petrópolis.

Como num conto de fadas, ele surge aos nossos humildes olhos alemães do Norte; a cidade apresenta-se em *terrasses* nas montanhas da costa brasileira, dentro da suntuosa enseada, formada por um mar de luz resplandecente, apenas interrompido, ou melhor, ainda ampliado pela variedade das palmeiras esbeltas e das bananeiras de folhas largas espalhadas por toda parte. Nenhuma das nossas monótonas paredes vermelhas, nem com caiação cinza uniforme; tudo branco ou colorido, inundado pela luz vibrante do Brasil. Até as fortalezas que ficam nas ilhas internas do porto, escondidas entre palmeiras e vegetação, não se parecem com fortificações de defesa, mas com bucólicos recantos de fantástica aparência. No meio delas, acha-se também a Ilha das Flores, o primeiro abrigo dos imigrantes; parece que essa pobre gente não goza por lá de uma vida muito invejável, mas, no seu aspecto exterior, a ilha recorda-nos uns versos idílicos de Dranmore que se encontram no seu "Réquiem":

> Sei de uma ilha perdida
> No Oceano Pacífico,
> Coberta de matas,
> Reclinada aos suaves
> Raios do sol,
> Como um asilo escolhido
> Para poetas:
> Um Éden bafejado pelo
> Hálito quente dos trópicos.
> Uma ilha, qual um arbusto
> De rosas selvagens,
> Para os aflitos, para os apátridas,
> Emerge das ondas sonhadoras.

À primeira vista, a parte interior da cidade corresponde à exterior: meridional, estranha, fantástica, magnificamente encantadora! Só algumas coisas mais, além do barulho ensurdecedor, seriam dispensáveis: a sujeira e a desordem. As ruas são estreitas e malcalçadas. Passeei de carro uma vez, mas nunca mais o farei. As calçadas, principalmente nos bairros comerciais, são tão sujas como o leito das ruas. As fachadas das casas, de diversas cores, são interessantes de se ver, mas em sua maior parte estão malcuidadas e há um desequilíbrio qualquer entre os telhados e a base. Para nós, os nórdicos rigidamente educados, tudo nos parece negligente, mesmo o próprio povo, não sei como qualificá-lo – creio que indisciplinado seria a melhor palavra.

Aqui, veem-se grupos de pretos fumando e cuspindo; acolá, pretas retintas nas portas das lojas escolhendo café. Muitas vezes a calçada se acha invadida pelos pretos, pretas e mulatos com seus tabuleiros e cestas, vendendo laranjas, bananas, cocos, fogos e mais outras quinquilharias. Devido à primeira impressão de exotismo, conseguiriam atrair facilmente o comprador europeu; mas basta um olhar ao ambiente das bancas, onde cascas de laranja, fósforo, papel, pontas de cigarros e outros *rubbish* disputam entre si o primeiro lugar com a barra do vestido claro da vendedora, varrendo-os de cá para lá, para afugentá-los de novo. Em muitas lojas do bairro comercial e até mesmo nos bairros elegantes, tenho visto esparramados pelo chão papéis de embrulho, barbantes, palha e cacos de diversos utensílios. Mas ninguém parece tomar isso como coisa fora do comum. O brasileiro considera essa espécie de desordem com certa ingenuidade quase comovente e penso, Grete, que nós, europeus, com o tempo vamo-nos habituando senão à sujeira, a vermos os outros não se incomodarem com ela.

Nas lojas não encontrei nada bonito ou especialmente característico, exceto numa certa casa lindos objetos confeccionados com penas autênticas dos pássaros indígenas, primorosamente escolhidas em suas cores naturais. As guarnições para baile eram adoráveis! Mas o que se compra é quase sem exceção mercadoria europeia; fora das matérias-primas do país, não há nas lojas objetos que já não tenham atravessado o Oceano Atlântico: tecidos, sapatos, roupas brancas, artigos de lã, móveis, aparelhos de iluminação, baterias de cozinha, livros, tudo, até papel e alfinetes vêm da Europa. Mesmo os tecidos de algodão chegam à terra do algodão enviados pela Alemanha e França, para onde é remetida a matéria-prima, porque nas raras e deficientes fábricas daqui não existe pessoal habilitado. Quando se deseja comer os alvos pães de açúcar, é na terra da beterraba que o país da cana-de-açúcar manda buscá-lo. Certas coisas nesta terra são porém maravilhosas. Na rua do Ouvidor, espécie de artéria do comércio fino e de passeio, há algumas lojas com elegantes *toilettes* para senhoras. Chegam de Paris diretamente e custam terrivelmente caro; mas as brasileiras ricas compram-nas de "mão beijada" por preços altíssimos, para a *saison*, quer dizer, para os espetáculos da companhia lírica italiana, a que as senhoras vão assistir nas frisas, em *toilettes* decotadas e de baile. Vida social praticamente não existe fora dos limites do corpo diplomático; o imperador não dá recepções, parte devido à sua conhecida simplicidade pessoal e parte porque a lista civil dos imperadores brasileiros é muito reduzida. Somente a princesa oferece reuniões à noite, para o chá. O grande palácio imperial de São Cristóvão, bairro do Rio, é um casarão imenso, sem nenhum interesse, apesar dos seus salões interiores, que, segundo dizem, são suntuosamente decorados. Mas a situação da casa é muito feia. Se eu fosse imperador do Brasil, mandaria construir para mim uma vila encantadora em Botafogo, pitoresco bairro do Rio, do lado oposto, e abandonaria São Cristóvão e sua vizinhança de matadouros e de milhares de urubus.

Botafogo é adorável com suas vivendas dispostas como uma grinalda em torno da baía do mesmo nome, seus jardins dominados ao fundo pelo imponente Corcovado e na frente pelo curioso Pão de Açúcar, dentro da enseada. A magnificência das flores neste bairro, onde só mora gente rica e distinta, é fascinantemente admirável! As mais viçosas trepadeiras, de um verde intenso, cobrem os muros ostentando grandes e deslumbrantes flores vermelho--escuras, roxas, amarelas, brancas... Mrs. Brassen, em seu lindo livro *A Voyage in the Sunbeam*, define exatamente minha impressão quando diz que no Brasil todas as cores lhe pareciam muito mais vistosas que em outra qualquer parte do mundo; é isso mesmo: até o branco lhe parecia muito mais intenso. Essa descrição corresponde fielmente ao que sentimos, pois aqui, onde a natureza impera, tudo é encantador!

O morro das "laranjeiras", a montanha de Santa Teresa, enfim, todas as elevações da cidade estão cobertas de casas, principalmente Santa Teresa, onde reside a maior parte dos comerciantes estrangeiros, cujas lojas ficam embaixo, na cidade.

Como ando procurando em vão um emprego qualquer aqui no Rio, tenho percorrido bastante a cidade, mas não há grande coisa para se ver. As igrejas todas se parecem e nenhuma se destaca pelos seus tesouros artísticos. O museu (cuja existência muitos ignoram e que raros vão ver) é bastante medíocre, excetuando-se uma rica coleção de aves raras empalhadas. A Academia de Arte possui uma galeria de quadros e estátuas; quanto a estas últimas, acham-se ainda em cueiros; mas há quadros muito interessantes, de artistas nacionais, que me agradaram muito por suas cores vivas e sua composição. Junto uma fotografia de um deles, representando a primeira missa no Brasil, lastimando não ter podido obter outras, especialmente a de um quadro colossal, de Meirelles, sobre uma batalha. Em geral, nota-se porém a pouca inclinação dos brasileiros para as artes plásticas, o que não se deve estranhar, visto demonstrarem muito maior atração pelas artes declamatórias, mais de acordo com o seu temperamento. O brasileiro é orador nato: declama quando fala uma frase mais longa e todos adoram a música, principalmente a italiana, além de operetas francesas – e Meyerbeer.

Mais fracas ainda que a pintura, se revelam a escultura e arquitetura. A cidade não oferece nenhum ornamento de valor arquitetônico nos edifícios, pontes e portões; não existem edifícios luxuosos, a não ser o mais que simples da Imprensa Nacional. Só consegui descobrir dois monumentos, um dos quais representa um santo. Essa pobreza em monumentos explica-se em parte: desde sua independência, poucas tradições ou lembranças históricas possui este país. Excetuando-se o do santo, o outro existente celebra o fato mais notável da história brasileira, representando o imperador, pai do atual D. Pedro II, a cavalo como se viesse galopando, com o projeto da constituição na mão. A estátua é interpretada de uma maneira estupendamente original por um artista francês e seu grande êxito entre os brasileiros deve-se à grande expressão patética que o artista lhe imprimiu. Apresenta em relevo figuras alegóricas dos quatro rios principais, Amazonas, São Francisco, Orinoco e Madeira.

Como é natural, visitei também os jardins do Rio. No muito gracioso Jardim Público, situado mais ou menos no centro da cidade, uma banda alemã tocava outro dia duetos de Mendelsohn; fui depois a um outro, grandiosamente traçado, no extremo da cidade e, *last but not least*,* ao famoso Jardim Botânico com sua célebre avenida de palmeiras. Sim, Grete: para os estrangeiros é sempre uma alameda notável e interessante; mas não posso achar assim tão lindos esses caules compridos e nus dessa famosa e tão pouco sombreada avenida. Essa opinião é mais uma dessas coisas que só lhe posso dizer confidencialmente, pois, do contrário, seus tradicionais admiradores de cá e de lá poderiam apedrejar-me, nem que fosse apenas com os biscoitos número três! É uma alameda curiosa e por isso mesmo bela! Mas basta! De agora em diante, tentarei adotar esta mesma opinião passando a ver na palmeira a árvore *par excelence* destinada às alamedas. Conseguirei isso?

Sua Ulla rebelde

---

* "Por último, mas não menos importante."

Rio, 12 de fevereiro de 1882

Queridíssima Grete!

Já estou precisando escrever novamente, pois imagine só: desde anteontem estou contratada para um colégio daqui. Um colégio é um liceu de moças, com pensionato; tenho que lecionar para quatro classes, iniciando as filhas deste país nos segredos das línguas alemã e inglesa; além disso darei algumas aulas de piano. *Ach!* Grete! Ambas as línguas permanecerão sempre um livro fechado a sete chaves para minhas alunas, pois é estranho como aprendem pouco comigo, especialmente o alemão. Não pude descobrir ainda se é culpa minha ou delas. Talvez isso se explique pela diferença das raças germânica e romana, pois o francês aprendem até dormindo e as francesas obtêm resultados muito melhores do que eu, em suas classes. Várias vezes tive a tentação de ressuscitar o Bormann, porém, depois, deixei-o definitivamente onde está, porque sei que nele encontraria inúmeras censuras a mim.

Como há poucas salas de aulas disponíveis, dou minhas lições, em geral, com outra professora, no mesmo cômodo:

enquanto, de um lado, declamam poesias portuguesas, tento do outro lado explicar às minhas "donas" desatentas as complicadas declinações da língua alemã. Os três artigos com suas quatro declinações, nas suas doze partes obscuras (não se contando o plural), parecem tão rebarbativos a esse bando de empalamadas à minha frente, que com certeza elas os consideram uma astuciosa e traiçoeira armadilha preparada contra os estudantes. Outro dia, quando corrigi uma menina de olhos escuros: "*Der Schirm steht hinter der Tür*",* ela atirou o livro sobre a mesa e com lágrimas de revolta gritou irritadíssima: "*Was! Sonst war es immer die Tür, und jetzt ist es mit einmal der Tür?!*"**

Grete, fiquei completamente consternada e sem saber o que fazer, no primeiro momento. E essas cenas se repetem muitas vezes. As melhores famílias não mandam absolutamente as filhas para colégios, e devido a isso esta sociedade é, em geral, a menos educada ou a mais selvagem que se pode encontrar; exaltam-se, gritam e chegam não raras vezes a ficar com o rosto enrubescido como cerejas. Nessas ocasiões, nossa francesa mais moça, Mlle. Serôt, prende-as dentro de um armário vazio até que se acalmem. Raramente vemos a diretora fora das horas de refeição. Ela é a única que possui autoridade sobre este bando selvagem, talvez por aparecer muito pouco. Está sempre bem-vestida, no seu gabinete, onde recebe os pais das alunas e dá apenas uma

---

* "O guarda-chuva está atrás da porta."
** "O quê! Sempre foi *a porta* e agora de repente é *o porta*?!" (Trata-se da declinação do dativo do alemão.)

aula de leitura em cada classe. Não gosta de ser consultada sobre os trabalhos escolares, e a mim, não me resta outro recurso senão o de arranjar-me sozinha, como Mlle. Serôt.

Até agora não pude descobrir um programa de estudo e muito menos um horário; por enquanto, tudo me causa a impressão de caos num deserto. Com a melhor boa vontade não cheguei ainda a calcular o número das minhas alunas de música. Quando me senta ao piano pela manhã, às seis e meia, elas começam a aparecer de meia em meia hora, até as dez horas, como se fossem expelidas por um relógio automático. Agora, tenho tomado nota de uma em uma, e à força de muito trabalho e astúcia espero estabelecer um cálculo exato. Entretanto, gostam muito de mim, talvez porque me visto bem, como me disse Mlle. Serôt (como se ganha o coração das crianças!), e não me pareço com as outras alemãs. Quanto a esta última parte, deve ser tomada como um elogio, mas assim mesmo me sinto indignada! Como porém exigir o respeito das meninas, se os próprios adultos não se envergonham de cometer semelhante grosseria? Hoje cedo a diretora passou pela sala de música com uma senhora brasileira, mãe de uma das alunas, que observou em voz alta, falando português: "Ela é alemã? Não tem tipo alemão e além disso está muito bem-vestida". Negar-me o tipo alemão, a mim, germânica inflexível, como você sabe, é bastante doloroso e ao mesmo tempo incompreensível, diante de meu cabelo louro. Que vestidos usariam minhas antecessoras e outras colegas alemãs, para despertar de tal forma o desagrado das brasileiras? Aliás, aqui, o desprezo pelas confecções alemãs é geral. Em relação a esse particular, o que me aconteceu de mais típico passou-se outro dia, num salão de cabeleireiro, onde entrei para mandar ondular meu cabelo, cortado curto. Não sabia que, já por mim, chamava a atenção, pois nenhuma senhora brasileira sai sozinha à rua, nem de maneira alguma vai pentear-se fora de casa. O moço ondulador tomou-me primeiro por uma francesa, porque falei com ele em francês; depois, perguntou-me se era russa e por fim, tendo perpassado todas as nações, acabou interpelando-me, para meu divertimento e indignação, ao mesmo tempo:

– *Mais enfin, vous n'êtes pas allemande?**

– *Et pourquoi non?*** [sic] – indaguei já tinindo de raiva.

– Ah! bah! – fez com desdém. – *Ça se connait; les allemandes sont toujours mal vêtues* [sic] *et n'ont pas de chic.****

Les allemandes agradecem, pensei; e saí jurando eterna inimizade a essa loja.

Mas acabou de dar o sinal para o chá. Oh! Este chá do colégio! No momento, recorro ao grande calor, como pretexto para recusá-lo; prefiro mil vezes a cajuada, suco da fruta do caju, que se bebe muito aqui, e refresca bastante. O segundo sinal – apresso-me.

Sua Ulla

---

* "Mas você não é alemã?"
** "E por que não?"
*** "Todos sabem; os alemães são malvestidos e não elegantes."

Rio de janeiro, 17 de fevereiro de 1882

Grete: você já foi alguma vez ao dentista para arrancar um sólido dente do siso? Talvez... Mas aconteceu por acaso de lhe atirarem ao rosto, que você cuidadosamente procurava proteger, um projétil duro que estoura, enquanto um jato de água com cheiro de patchuli escorre pelo seu pescoço abaixo? Não? Então você não pode fazer ideia da quantidade de bile que possui. Não me contradiga: você não sabe mesmo. Pelo menos, de minha parte, quando me aconteceu isso que lhe estou contando agora, tive uma inesperada revelação sobre o poder do meu ódio, ficando bastante humilhada diante de mim mesma e perdendo a boa opinião que tinha a meu respeito.

Fiz essa descoberta na rua dos Ourives. Seu primeiro efeito foi, como lhe disse, o de roubar-me de um só golpe as lindas ilusões que mantinha em relação à amenidade de minha índole mas – "paff!" – um segundo projétil com sua consequente inundação escolheu o lado oposto, apagando minha autoacusação e me enfurecendo de novo: "piff!", outro passou e mais outro pelo meu nariz, indo rebentar na parede, atrás de mim. Procurava abaixar-me para verificar a forma desses terríveis projéteis – "puff!" –, um estalo chocho na minha nuca despeja água pelas minhas costa abaixo...

Alucinada de tanta raiva, estaquei, esquecendo completamente minha dor de dente e comecei a olhar em volta. Cercavam-me rostos onde se refletia o atrevido contentamento de quem vê diante de si a manifestação de uma fúria impotente: senhores elegantes, mulatinhos sujos, caixeiros, vadios e até senhoras nas sacadas pareciam transformados em demônios, rindo-se todos juntos como se tivessem conspirado contra aquela pobre infeliz torturada pela dor de dente, alvejando-a com os tais objetos resistentes e encharcantes. Encostei-me instintivamente contra uma casa, para ao menos proteger-me pelas costas – "sssrrr" –, um aguaceiro desabou sobre meu chapéu (com pluma verdadeira!), ensopando-o e desaguando pela minha gola.

Sentia-me completamente atordoada. Que significava aquilo? Que explicação poderia encontrar? Estaria realmente acordada, numa das melhores ruas do Rio, ou aquilo tudo não passava de um pesadelo?

De uma janela, junto à qual me achava parada, perplexa, debruçava-se sorridente uma moça brasileira a quem me dirigi; mas ela levantou a mão, um frascozinho brilhou – "buist" "buist" – e incontinenti meus dois olhos foram postos fora de combate. Era demais! Eu estava fora de mim. Cheia de ódio impotente, sentia ao mesmo tempo um incrível temor apoderar-se de mim, diante de todos esses inimigos gratuitos, percorrendo o resto do caminho como se Belzebu em pessoa estivesse me perseguindo.

Ao chegar ao dentista tremendo de raiva dos pés à cabeça e espargindo respingos, banhada em lágrimas, caí no sofá da sala de espera do Dr. Muller, que havia uma semana estava tratando de meus dentes.

– Mas que lhe aconteceu, minha cara senhorita? – indagou ele da sala contígua. Quando entrou e me viu ali sentada, pingando, sua expressão modificou-se, tomando o já citado ar de gozo. Percebi que dificilmente se continha para não estourar de rir.

– Meu Deus! – exclamei indignada em último grau. – Que se passa aqui no Rio? Enlouqueceram todos?

Quem ria agora era o doutor. Tomou-me pela mão, levou-me até o calendário e mostrou-me com o dedo uma data do mês de fevereiro: "Carnaval", soletrei com um suspiro abafado!

O doutor começou então a retirar qualquer coisa de cima de mim.

– Que está fazendo? – perguntei, desanimada.

– Estou retirando ao menos alguns pedaços de cera.

– Pedaços de cera? – repeti no mesmo desânimo, mas muito admirada.

– Sim, ao que parece deve ter recebido uma boa descarga de limões de cera cheios d'água; e durante este reinado, o Rio assim continuará até a quarta-feira de cinzas.

Para a quarta-feira de cinzas, nessa data, faltavam ainda 11 dias! Com grande terror calculei que a quantidade de água de patchuli nas cascas de cera, sem acrescentar-lhe a água jogada com baldes, daria nesses 11 dias, provavelmente, para cobrir a distância que nos separava do meu guarda-roupas; e irritadíssima esmaguei a metade de um ovo de cera que retirei de meu punho molhado.

– Então o dente por hoje está salvo? – perguntou-me o doutor sorrindo.

– Não, ao contrário! – exclamei, com renovada energia. – Preciso descarregar minha raiva em qualquer coisa e será em mim mesma. Arranque. Arranque! E assim fiquei com um siso a menos.

Quando voltei ao colégio e descrevi minha aventura, a turminha mostrou-se excitadíssima: "Laranjinhas", "laranjinhas!", foi como um grito de guerra geral. Aqueles abomináveis projéteis de cera são denominados laranjinhas, pelos brasileiros; quer dizer laranjas pequeninas, com as quais, entretanto, nada se parecem, na minha opinião, assemelhando-se mais aos ovos de galinha no seu formato e tamanho. As crianças começaram a moldá-los em formas de madeira e dúzias dessas formas apareceram como por encanto, neste conceituado colégio. E antes que as professoras pudessem pressentir qualquer coisa, as batalhas aquáticas já estavam no auge. Não só se bombardeavam com as tais laranjinhas nos intervalos como também durante as aulas se lançavam de bisnaga em punho às vizinhas. Só Deus sabe como conseguiram fazer entrar aqui de contrabando essas garrafinhas. As bisnagas são pequenos frascos semelhantes aos que usamos para tintas, cheios de perfume, até das mais finas qualidades. Era água nas roupas e nos ouvidos, de sorte que não havia meio de se conseguir uma aula silenciosa e concentrada. No domingo, como as meninas não tinham o que fazer, tornaram-se completamente indisciplinadas, despejando água umas nas outras, até com jarros e bacias. O dormitório inteiro ficou alagado, mas Mlle. Serôt mostrava-se indecisa diante desse bando embriagado pela água, pulando e gritando como selvagens, sendo necessária a intervenção de Madame para pôr termo a essa excitação. Daí por diante o sossego voltou à nossa casa.

Lá fora, porém, continua sem interrupção esse esporte carnavalesco de bom gosto, fazendo-me amaldiçoar o Destino que me obriga a ir todos os dias à rua dos Ourives, passando horas e horas a meditar sobre a maneira de improvisar vestuários os mais impermeáveis possíveis. Os brasileiros ficam radiantes e completamente fora de si durante esses dias. Alguns moços e ricos passeiam nas ruas com o único fito desse *amusement* aquático, fazendo-se acompanhar por negrinhos que trazem um completo sortimento de laranjinhas e bisnagas, dentro de grandes cestas; parece que isso não representa um caso isolado e gastam-se centenas de francos dessa maneira. Apesar de haver proibição, repete-se a mesma coisa todos os anos e nas esquinas até as pretas oferecem à venda enormes bandejas cheias de laranjinhas. Nos bondes de burro, cada um fica com receio do outro, e quando se começa a olhar o vizinho com um pouco mais de confiança, não demora muito, alguém, que se encontra atrás de nós, faz-nos estremecer de susto, despejando com um prazer diabólico um frasco cheio d'água dentro de nossa gola. É preciso não demonstrar contrariedade, pois, se percebem que estamos zangados, então estamos perdidos porque, quanto mais tentarmos proteger nossa roupa, mais molhados ficaremos. Felizmente, agora essa brincadeira aproxima-se de seu fim; ontem, realizou-se um grande desfile carnavalesco e hoje haverá o baile de máscaras final.

De uma sacada, assisti ao desfile, com uma família conhecida de Madame, e não posso negar que foi brilhante. A decoração de muitos carros encomendada em Lisboa e em Paris era extraordinariamente cômica, como a que se intitulava "O verdadeiro retrato do inferno", onde se viam bonecos de palha representando monges, padres e freiras, surrados, queimados e supliciados na roda. Tudo isso num país católico! Creio que o brasileiro já não é tão religioso como seus antepassados. Com grande entusiasmo foi aplaudido outro carro representando uma casinhola, de cujo sótão surgia com intervalos regulares de alguns minutos a caricatura do diretor dos telégrafos daqui, que com uma tesoura procurava cortar os fios telefônicos colocados sobre a casa, o que de fato se deu, executado por ordem sua a seus subordinados; aos carros alegóricos propriamente ditos, seguia-se uma fila interminável de mascarados, composta, aliás, somente de homens com mulheres de teatro ou do *demi-monde*. Como durante o cortejo não era permitido brincar com água, pude apreciá-lo calmamente, embora sentindo calafrios todo o tempo, devido às histórias horripilantes que me contava um brasileiro a meu lado. Uma delas referia-se a um professor alemão que, por vestir uma capa provocante, fora agarrado por diversos pretos e atirado dentro de uma banheira (cheia de água), tendo apanhado cólera; a outra era de um inglês que, por causa das laranjinhas e das bisnagas, morreu de febre amarela. Quando ele quis iniciar a terceira, na qual provavelmente morreria um russo, pedi-lhe que me poupasse.

Agora boa noite, minha Grete; faz um calor tão terrível que a luz à minha frente está ondulante. Se consigo suportá-lo é porque a grande umidade atmosférica age como atenuante. O pior tempo já passou e assim também o período da febre amarela, que logo depois desse carnaval selvagem toma um novo impulso. Ainda morrem semanalmente, dessa moléstia, perto de cem pessoas. Acho que ela não me quer, Grete! Senão, com a péssima comida atual, já a teria contraído há muito tempo, tanto mais que ela ataca de preferência as pessoas de pele mais clara. Os europeus e principalmente os ingleses e alemães são os seus preferidos, estando em último lugar os pretos.

E a propósito de comida, Grete, durante este tempo prefiro acima de tudo a carne de carneiro, por ser menos gorda, parecendo-me mais conveniente como alimento durante o verão. Só me volta o apetite quando os Carsons me convidam para comer um bom bife inglês, o que fazem sempre que me encontro disponível. Eles são comoventes de tanta bondade comigo, Grete, e devo muitas vezes minha coragem neste país estrangeiro às suas palavras de conforto. *Gold bless them!**

Mademoiselle está ficando impaciente: preciso terminar. Beijo, minha Grete.

Sua Ulla

---

* "Deus os abençoe."

Rio, 21 de fevereiro de 1882

Oh! Grete, ando com este colégio por cima da cabeça! Acho sinceramente que sou péssima professora! Não aprendem nada comigo e, se houver inspetores escolares por aqui, vou ficar desmoralizadíssima! Não consigo habituar-me a este ensino superficial; mas, quando começo a aprofundar-me, ainda é pior: fico completamente desanimada. A respeito da disciplina, então! Só essa palavra já me faz subir o sangue à cabeça. Imagine isto: outro dia, ao entrar na classe, achei-a muito irrequieta e barulhenta e na minha confusão recorri ao Bormann. Quando obtive silêncio para poder ser ouvida, ordenei: "Levantar, sentar", cinco vezes seguidas, o que no nosso país nunca deixa de ser considerado vergonhoso para uma classe. Mas, aqui – oh! *Sancta Simplicitas*! –, quando cheguei a fazer-lhes compreender o que delas esperava, as crianças estavam tão longe de imaginar que aquilo representasse um castigo, que julgaram tratar-se de uma boa brincadeira e pulavam perpendicularmente como um prumo, para cima e para baixo, feito autômatos, divertindo-se regiamente. Grete, desde então o Bormann está definitivamente descartado, para mim, aqui no Brasil.

Reconheço ser indispensável adotar-se uma pedagogia aqui, mas ela deve ser brasileira e não alemã, calcada sobre moldes brasileiros e adaptada ao caráter do povo e às condições de sua vida doméstica. As crianças brasileiras, em absoluto, não devem ser educadas por alemães; é trabalho perdido, pois o enxerto de planta estrangeira que se faz à juventude daqui não pegará. A mim, acontece, com as crianças desta terra, a mesma coisa que se dava em São Francisco com relação às plantas: – não nos entendemos – falamos decidida e psiquicamente uma língua estranha, o que me torna a vida extremamente desagradável por cá.

Meu conforto material também deixa muito a desejar. "Meu quarto" é uma alcova sem janelas, dependente de uma sala de aulas e recebendo luz apenas através da porta! Sua mobília consiste somente numa cama (edição barata da de São Francisco), um lavatório, uma cadeira. Não tenho armário, nem cômoda. Minha mala serve de rouparia e para meus vestidos melhores espero poder conquistar as boas graças de Mlle. Serôt para obter dela o armário dos castigos, tornando-me credora da gratidão das crianças. Escrevo justamente do quarto da francesa, que, apesar da tradicional inimizade, é com quem mais simpatizo nesta casa. Seu quarto não é muito melhor que o meu, mas possui uma mesa e uma janelinha alta, perto do teto; ao passo que no meu buraco escuro, que existe em todas as casas brasileiras, sinto-me quase asfixiada. Devo acrescentar que neste prédio sofremos horrivelmente por causa das baratas, inseto escuro e repugnante, de cheiro pestilento, parecido com o nosso besouro de maio. A barata é aqui praga comum; mas assim, às centenas de milhares como nesta casa, nunca tinha visto em parte alguma. De noite, quando entro no dormitório com as crianças, o chão está formigando desses asquerosos animais; imediatamente começamos a caçá-los com sapatos ou qualquer outro objeto sólido ao nosso alcance. Centenas nos escapam, mas também outras centenas de cadáveres ficam no campo de batalha e são varridas depois. Não pense que é exagero, Grete; parece que é assim mesmo em todas as casas velhas e com certeza algum outro viajante, que andou pelo Brasil, já terá afirmado coisa idêntica.

Não falo dos mosquitos, das moscas, das formigas, das lagartixas, nem do resto da bicharada, porque não são nada em comparação com as baratas, que, além do mais, comem e estragam tudo que podem alcançar. Nessas poucas noites já devoraram a capa do meu Goethe!

Aliás, meu entusiasmo pelo Rio tem esfriado bastante. A vida no colégio não tem grande encanto, e passear pelas ruas é um suplício, devido à excessiva cortesia dos homens. Não estão acostumados a ver as senhoras suas patrícias sozinhas na rua e, mesmo sabendo que nós, estrangeiras, gozamos dessa liberdade, consideram-se no direito de desacatar com gracejos as mulheres europeias, quando não se acham acompanhadas.

– *Comment ça va-t-il, mademoiselle?**
– *Mas où allez-vous si vite, mon enfant?***

---

* "Como vai, senhorita?"
** "Aonde você vai com tanta pressa, menina?"

Estas e outras fases já consigo suportar sem lágrimas, ignorando-as simplesmente. Mas que me diz você sobre isto? Ao sair de uma luvaria, um dia destes, um brasileiro comprido e seco plantou-se diante de mim e murmurou com a cara mais cínica deste mundo: "*Pas décidément jolie, mais gentille, très gentille.*"*

Afastei-me furiosa, o que parecia diverti-lo imensamente!

Ah! Grete! Se ao menos encontrasse afinidade de uma alma irmã! Mlle. Serôt, Miss Dahlmann, são sem dúvida bem gentis e amáveis, mas desejava ter uma verdadeira amiga, minha Grete! Ah! Se você estivesse aqui! Mas não, não te desejaria isso. Vá ficando por aí, pois (bem baixinho ao seu ouvido) também voltarei, quando juntar o suficiente para a viagem.

Atualmente o meu tesouro está em maré baixa e o meu ordenado no colégio não vai chegar para fazê-la subir. Então, preciso continuar a esperar sentada, quietinha, porque somente a passagem de navio até Hamburgo custa 30 libras!

Dia 22

Hoje, fui ver o pastor da comunidade daqui e também o cônsul alemão. Foram ambos muito atenciosos, e o cônsul, que é um homem esperto e sabe levar os brasileiros na devida conta, aconselhou-me a ir de preferência para a Província de São Paulo, tentar conseguir obter lá uma colocação, pois a que ocupo não é posição para mim; em São Paulo encontrarei também outras colegas. Disse-me isso e ando procurando no *Jornal do Commercio* o que me

---

* "Decididamente não bonita, mas agradável, muito agradável."

possa servir, entre os anúncios de pretos fugidos e vendas de escravos, que é onde também se pedem as professoras com imensa capacidade e inúmeras perfeições. Aprendi, aliás, no colégio, que só nos conferem o título de "professora" quando somos apreciadas; do contrário, rebaixam-nos para outro inferior: "mestra". É uma verdadeira sorte não se firmarem contratos aqui, nem se multarem as rescisões. Mesmo constantemente ameaçadas de ser dispensadas mais dia menos dia, podemos pelo menos fazer a nossa trouxa quando julgamos que é demais. *Adieu*, meu tesouro: recomende-me ao bem-querer das nove Musas para que me ajudem a chegar até São Paulo!

Sua Ulla

Rio, 2 de março de 1882

Algumas linhas apressadas, minha Grete querida! Estou contratada para São Paulo e imagine a minha sorte, para a própria cidade de São Paulo, numa boa família. O Sr. cônsul Haupt foi muito amável fazendo publicar um anúncio no *Jornal do Commercio*, onde deve ter-me feito grandes elogios, porque o Sr. Costa veio para cá especialmente para contratar este animal prodígio – uma professora, vulgo "mestra". Assim, embarco amanhã para a "Capital espiritual do Brasil", como os paulistas costumam chamar de preferência e orgulhosamente à sua cidade.

Madame ficou muito aborrecida quando participei que ia embora, e quase não se despediu de mim; mas todos os que me estimam aconselharam-me a fazer isto.

Sabe o que descobri agora? A razão por que as minhas colegas não conseguiam despertar a admiração das suas concidadãs brasileiras. Para o futuro terei de desistir também dessa admiração. Imagine, se isso lhe é possível, que outro dia fui obrigada a pagar à vista 78 marcos de feitio por um vestidinho de algodão de que precisava e que mandara fazer por uma costureira francesa, uma certa aristocrática

"Mme. Victorine". Fiquei estarrecida e nunca mais procurarei nenhuma Mme. Victorine; se não me bastarem as roupas que trouxe, vou imitar o que na certa têm feito inúmeras vezes minhas colegas aqui: pegar eu mesma na tesoura e na agulha!

O primeiro triunfo desse vestido de algodão foi o de me obrigar a pedir dinheiro emprestado a Mr. Carson, para poder alcançar o meu novo destino; conto-lhe isso como *exemplum tragicum*, para uso de todos os que se deixam seduzir com ofertas de 4 a 5 mil marcos de ordenado. Aliás, receberei agora apenas 3 mil. Mas coragem não me falta, Grete! Nós não nos deixamos derrotar. *"Il faut fatiguer l'infortune"*,* como dizia esse francês espirituoso.

Sua invencível Ulla

---

* "Devemos extenuar o infortúnio."

São Paulo, 20 de março de 1882

Minha Grete única,

Hoje Mr. Carson enviou-me um maço de gentis e amáveis cartas e só me admirei de todas terem chegado! Você me lastima tanto, por causa daquele abominável colégio, minha querida, mas por sorte isso já é *tempi passati*, como você sabe, em compensação sinto-me em São Paulo como no céu.

A viagem para cá foi bastante interessante, pois atravessei uma paisagem muito variada. Às nove horas, Mr. Carson instalou-me num carro de primeira classe, da São Paulo Railway – primeira classe, não por luxo ou por uma repentina maré alta no cofre (ao contrário, você conhece Mme. Victorine) –, mas porque nesta terra só há duas classes nos trens; e na segunda, viajam somente *niggers** de todos os matizes. Esses carros nada têm de comum com os nossos *coupés* de primeira classe, parecendo-se mais com a terceira. Sem divisões, com seus 24 lugares de assento de palhinha, suas oito janelas abertas, deixando entrar o

---

* Termo pejorativo para se referir a pessoas negras.

vento e a poeira, o vagão não oferecia o mínimo conforto e encontravam-se nele quase que somente homens. Para as senhoras e as pessoas que não fumam não existe aqui compartimento especial. Quando o trem se pôs em movimento, cada brasileiro presente se apresentou com seu grande lençol branco bordado de franjas e provido no meio de uma abertura por onde passaram a cabeça, de maneira que o lençol caía em volta deles. Essas coisas chamam-se ponchos, sendo os mais leves usados contra o pó e os mais pesados e coloridos empregados contra a chuva e o frio.

A maior parte dos homens afundou-se logo atrás das enormes folhas do *Jornal do Commercio* e pouco tempo depois, com grande espanto meu, lembraram-se de seus cigarros. Se até aquele ponto a viagem ia correndo regularmente bem, dali por diante transformou-se em verdadeiro suplício. Não por causa da fumaça, Grete, pois você sabe que não sou tão exigente, mas parece que, para o fumante brasileiro, o espaço que o rodeia não passa de uma gigantesca escarradeira! A repugnância demonstrada já inúmeras vezes pelos estrangeiros mais algumas cenas bastante desagradáveis, nos restaurantes e nos navios costeiros ingleses, nada adiantaram contra esse vício repelente. O brasileiro considera a abundante salivação em volta de si como um fato inofensivo, possuindo em suas casas um completo equipamento para esse fim: dos dois lados dos seus incômodos sofás de palhinha veem-se as mais lindas e coloridas escarradeiras, sempre aos pares, tão grandes e vistosas que a princípio pensei que fossem vasos para flores...

De qualquer forma, tentei isolar-me nesse ambiente que de tempos em tempos se tornava ainda mais sobrecarregado, com a presença de dois ou três funcionários fumando e tagarelando; levantei-me então, para apreciar a paisagem pelas janelas abertas. Mas essa ideia foi um fiasco. O trem brasileiro corre com grande velocidade mas também sacoleja assombrosamente para cá e para lá; além disso, quando a gente ainda prende o pé na passadeira rasgada e despregada, deve-se dar por satisfeita ao se ver de novo atirada sobre o assento depois de uns três segundos, com todos os seus membros intactos e apenas com um galo na cabeça. Essa rapidez no transporte, juntamente com certas imperfeições e ingenuidades, tem alguma coisa que se pode definir como "desinformadamente civilizado"; há uma falha qualquer, que na sua ingenuidade provoca um sorriso involuntário, impressão aliás que por diversas vezes me dominou neste país.

Apesar de tudo, pude apreciar plenamente a natureza na sua vastidão e riqueza assombrosas. É tudo mais grandioso que em nossa terra, como se o espaço estivesse sobrando. A natureza parece ter distribuído as montanhas e os vales num largo gesto de generosidade, colocando-os primeiro nos seus lugares e depois, pelo prazer de completar a sua obra, espalhando a mãos-cheias as árvores de grandes galhos, as frutas extravagantes, os arbustos graciosos mas que muitas vezes se transformam em árvores, as lindas flores ricamente coloridas, como se desejasse, com essa fantástica ornamentação, livrar o pequenino homem do sentimento de opressão, diante do poder esmagador da sua força. Montanhas e vales se sucedem: atravessamos 13 túneis, um dos quais, o mais longo, levamos quatro minutos para percorrer.

O Dr. Costa (*Doktor*, naturalmente) esperava-me na estação com minhas duas alunas mais velhas. A menina de 12 anos, Lavínia, causou-me ótima impressão, e posso dizer que gostei dela desde logo. Aliás, Grete, isto aqui me parece o céu, em comparação com o colégio que ficou para trás, como um pesadelo. As colegas sacodem a cabeça diante do meu entusiasmo e me dizem que os meninos dos Costa têm fama de ser os mais malcriados de toda a cidade, razão pela qual os pais não conseguem mais arranjar educadoras aqui. Mas, por enquanto, não lhes dou atenção; estou satisfeita por ter vindo e por ter ocasião de conhecer outras colegas e algumas outras pessoas.

Em São Paulo há muitos alemães, mas a maior parte é artesão, de modo que frequento somente a casa do farmacêutico alemão que visitei em primeiro lugar, por causa de sua situação de cônsul. É gente ótima, Grete! Posso assegurar-lhe: muito cultos e ao mesmo tempo muito simples, amáveis, inteligentes, hospitaleiros. Alguns viajantes alemães no Brasil passaram horas ou dias bem agradáveis em casa deles e mesmo os hóspedes principescos apreciaram a casa dos Schaumanns. Fui almoçar lá no domingo e nessa ocasião conheci duas colegas muito simpáticas: Fräulein Meyer e Fräulein Harras, das quais lhe falarei depois. Além dessas, tinha conhecido uma terceira colega mais velha, que há muitos anos educa os primos e as primas de meus alunos; assim você pode compreender porque isso me parece cor de ouro em comparação com as experiências brasileiras que tenho feito até agora. Estou no meio de gente boa e não me sinto tão terrivelmente só.

Na casa dos Schaumanns encontra-se gente de todas as partes do mundo e conversa-se sobre todos os assuntos. Numa dessas noites estiveram lá um velho e original engenheiro dinamarquês, antigo capitão, um francês, professor de música, um médico alemão e um engenheiro inglês, homem bastante atraente que conversou quase que exclusivamente comigo e apreciou meu inglês, que considerava muito bom. Chama-se Mr. Hall e mora há seis meses em São Paulo, onde representa uma grande fábrica de máquinas, inglesa. Ele se parece com... não!... também não! Pensei encontrar alguma semelhança, mas na verdade não se parece com ninguém. *Ach*! Grete, como me sinto contente por estar aqui! Tão contente!...

Sua feliz Ulla

São Paulo, 5 de abril de 1882

Minha Grete do coração,

É verdade mesmo: São Paulo é o melhor lugar do Brasil para educadoras, tanto a capital como toda a província, porque os moços da nova geração namoram a ciência e dão-se ares de erudição e filosofia. Somos uma cidade universitária! Mas não pense em Bonn ou Heidelberg, pois a academia daqui não é senão uma Faculdade de Direito. No interior da província há um seminário onde se preparam padres (esqueci o nome do lugar), aqui, formam-se advogados e, no Rio de Janeiro, os discípulos de Esculápio, os doutores *par excelence.*

Os brasileiros dão ótimos advogados, podendo dessa forma aproveitar seu talento declamatório. Dão a vida por falar, mesmo quando é para não dizer nada. Com a eloquência que esbanjam num único discurso, poder-se--iam compor facilmente dez em nossa terra; embora não possuam verdadeira eloquência nem marcada personalidade, falando todos com a mesma cadência tradicional usada em toda e qualquer circunstância. Tudo é exterior, tudo gesticulação e meia cultura. O fraseado pomposo, a eloquência enfática já são por si próprios falsos e teatrais; mas se você tirar a prova real, se indagar sobre qualquer assunto, não se revelam capazes de fornecer a informação desejada.

Há pessoas na alta direção do Partido Republicano que não conhecem a história nem a constituição do país nem muito menos a das outras nações. Há outros, que se dizem partidários do sistema filosófico do espiritual Comte, mas não compreendem os seus mais elementares ensinamentos. Alguns dão opinião sobre línguas estrangeiras, mas não sabem explicar nenhuma regra da sua própria. Querem possuir sem demora todas as novidades no terreno da técnica, mas os engenheiros para a montagem vêm da Europa; quando estes se retiram, se por acaso se parte uma das peças das máquinas, nenhum nacional sabe consertá-la. Não se encontra profundidade em parte alguma; e mesmo que procurem adquirir a cultura alemã em todos os campos da ciência, tudo ficará somente em superficial imitação, enquanto não o fizerem com a mesma perseverança, aplicação e seriedade dos alemães. Não se aproximam de nós por irresistíveis afinidades interiores e cada vez mais me convenço e os próprios brasileiros o reconhecem – que de coração se inclinam mais instintivamente para os franceses e outros povos latinos, mesmo quando se deixam empolgar pelo espírito alemão e pela energia inglesa. Mas percebo que estou perorando – portanto, mudemos depressa para outro assunto.

Meus atuais "substratos de discípulos" são realmente perfeitos exemplares de rebeldia e somente em Lavínia se atenuou essa tendência peculiar à família, inclinando-a para uma adorável docilidade. Com os meninos encontro-me em posição difícil, pois mais de uma vez os dois irmãos se atracaram na aula, sem que eu pudesse intervir. Se um deles dá uma resposta errada, o outro intromete-se, corrigindo-o com vivacidade, ao que o primeiro reage mais rápido que um raio, a golpes de régua; e assim inicia-se uma séria desavença e não uma simples rusga, que para mim não é nada fácil de apaziguar rapidamente – sempre a mesma discórdia entre os irmãos. Outro dia, criei coragem e pus simplesmente o mais moço fora da sala, o que me parece aliás o meio mais prático, farei o possível para continuar aqui; vou esforçar-me para melhorar essas pobres crianças tão mal-educadas; não ficaria satisfeita se os deixasse já.

Ontem encontrei Mr. Hall por acaso, quando me dirigia para a casa de Fräulein Meyer, e ele acompanhou-me até lá. Sabe, Grete, ele é realmente atencioso, não como os brasileiros, mas quase como um alemão; tem uns grandes olhos azuis e seu aspecto é muito viril. Perguntou-me se não desejava ir domingo à igreja anglicana, pois não há nenhuma igreja alemã aqui. Até agora não fui lá, mas é bem verdade que deveria fazê-lo; é bem vergonhoso ainda não ter estado lá. No próximo domingo com certeza irei.

Mil beijos de

sua Ulla

Mando-lhe junto duas traduções para o alemão de uma poesia brasileira do poeta Gonçalves Dias (escrita na Europa) e que aqui se considera muito popular, se é que num país onde o povo propriamente não existe, e onde não se encontra ninguém capaz de me dizer a letra do hino nacional, se pode cuidar de semelhante coisa. Uma das versões é do Sr. Schaumann, feita ao pé da letra; a outra, mais livre, é do nosso estimado Dranmore. Você reconhecerá *incontinenti* o poeta. Transcrevo primeiro esta, ao pé da letra.

LIED DES VERBANNTEN

Meine Heimat, die hat Palmen,
Und dort singt der Sabiá,
Anders zwitschern hier die Vögel
Anders zwitscherten sie da.

Unser Himmel hat mehr Sterne
Und mehr Leben unsre Wälder
Und mehr Liebe unser Leben
Und mehr Blumen unsre Felder.

Dort des Abends, wenn alleine,
Wie viel süber träumt' ich da!
Ach, mein Heimatland hat Palmen,
Und dort singt der Sabiá.

Volles Glück beut meine Heimat
Wie ich hier noch keines sah,
Und des Abends, wenn alleine
Wie viel süber träumt' ich da!
Ja, mein Heimatland hat Palmen,
Und dort singt der Sabiá.

Wollte Gott nicht, daß ich stürbe,
Ohn' dass ich es wiedersah,
Ferne von dem Glück der Heimat,
(Ach, ich finde es nur da!)
Ferne von der Heimat Palmen
Und dem Lied des Sabiá.

E agora a tradução do poeta:

LIED AUS DER VERBANNUNG

Palmen schmücken meine Heimat,
Und so traulich isct es da,
Wo von grünen Blätterkronen
Uns begrübt der Sabiá.

Zeigt mir holden Waldesschatten,
Fluren, die den unsern gleich,
Sterne, wie sie nieder leuchten
Auf der Liebe Zauberreich.

*In den trüben Winternächten
O, wie gramvoll denk'ich da
An das Land der Palmenheime
Und des Sängers Sabiá.*

*Denn es strahlt in Schönheitsfülle
Wie ich sonst sie nirgends sah,
Und in allen Traumgebilden
Ist es meiner Sehnsucht nah
Mit dem Flüstern seiner Palmen,
Mit dem Gruß des Sabiá.*

*Lass, o Gott erst dann mich sterben,
Wenn mein Land ich wiedersah,
Und die Heimat mich beglückte,
Wie es hier noch nie geschah,
Wie die Palmen es verkünden
Und der Ruf des Sabiá.*

São Paulo, 21 de abril de 1882

Deu-se hoje, em nossa casa, um fato aborrecidíssimo para o Sr. Costa e sua senhora, mas que não pude deixar de achar muito engraçado.

Havia aqui um escravo moço e forte, com 25 anos, que representava uma grande soma para seu dono, neste momento em que ninguém compra novos cativos e ninguém mais nasce escravo. Anteontem mandaram-no à cidade fazer qualquer serviço e ele não apareceu mais. No começo, pensava-se que lhe tinha acontecido algum desastre e mandaram procurá-lo, sem resultado, porém. Supôs-se então que tivesse fugido e imediatamente seu senhor mandou pôr um anúncio no jornal sobre esse assunto. Ontem de manhã, recebeu afinal um aviso da sociedade pró-abolição da escravatura, informando-o de que o escravo Tibério ali se apresentara para obter sua liberdade, depositando 200 mil-réis (cerca de 400 marcos), quantia que ofereciam pelo seu resgate; até qualquer decisão ficaria onde se achava. O Sr. Costa gritou, esbravejou, chamando-se de burro por não ter mandado há mais tempo esse escravo para a fazenda e acabou fazendo uma contra oferta de 2 mil marcos. Hoje da manhã terminou o prazo em que um médico e outro especialista deviam decidir sobre o valor dessa mercadoria humana. Se ontem nosso caro senhor já estava furioso, hoje então voltou possesso, ralhando e berrando de abalar as paredes. Que teria acontecido? Nesse meio-tempo de anteontem para hoje, haviam dado ao Tibério um purgativo sobre outro, até que esse rapaz, antes tão forte, aparecesse, dentro do prazo marcado, como mísera criatura humana, de pernas bambas, de forma que o médico e o avaliador não puderam taxá-lo acima dos 200 mil-réis. Que acham deste caso? Procedimento honesto não é, mas contém uma boa dose de *humour*...

Fala-se muito na emancipação dos escravos e parece que a coisa vai caminhando. Todos os anos o Estado apresenta no orçamento um fundo de resgate; nas províncias, organizam-se sociedades abolicionistas e muitos escravos se tornam livres por iniciativa própria.

Não há dúvida que é um lindo movimento, mas quanta lama vem à tona! Quanta sujeira aparece! O jornal alemão do Rio abre de vez em quando uma crônica sobre o assunto. Na Província do Espírito Santo, há algum tempo, compraram de seus senhores dois escravos com a idade de 69 e 70 anos por mil marcos cada um! Quem lucrou com isso? Esses pobres velhos cativos já esgotados, que a morte bem cedo libertaria e que se viam agora arriscados a mendigar seu pão? Ou os seus senhores? Outro senhor possuía uma escrava de 72 anos, que se casou com um preto liberto de 75 anos; como os escravos ou escravas casados com libertos gozam de preferência para resgate, o proprietário encaminhou a jovem esposa para o fundo de reserva para emancipações, pedindo por ela 2 mil marcos. E recebeu-os! Em Tatuí, um escravo no último grau de tuberculose foi libertado pelo fundo de emancipação estadual por um conto e 500 mil-réis (3 mil marcos). Mas essas e outras trapaças e fraudes não são nada em comparação com a descoberta de que muitos escravos e escravas, já mortos, figuravam nas listas de sociedades abolicionistas, tendo seus ex-proprietários embolsado a soma do resgate, para depois de algum tempo fazê-los morrer uma segunda e última vez.

Em compensação, pode-se ver muita generosidade verdadeira, publicando os jornais diariamente colunas inteiras com o nome de senhores que espontaneamente libertam seus pretos. Não podemos negar tais fatos e como já estou ouvindo vocês resmungarem: "Mas isso é mais que justo!", respondo-lhes: "Na Europa eu pensaria assim também; mas aqui somos obrigados a mudar de opinião." Em primeiro lugar e mesmo que isso lhes pareça uma desumanidade, os escravos são propriedades legalmente adquiridas, como outras quaisquer. Depois, se os libertassem todos de uma só vez, para a maioria dos fazendeiros isso significaria a ruína. É quase impossível fazer-se uma ideia do transtorno que causará ao Brasil, nas fazendas distantes, a substituição de oitenta, cem ou duzentos escravos num país onde não existe nem trabalho, nem classe operária livre, principalmente quando se desconhece a escravidão, vivendo-se numa terra como a Alemanha onde o oferecimento de mão de obra ultrapassa a procura. Levando em conta essas condições, compreendo muito bem e acho muito justo que fazendeiros, antes liberais, se recusem a desistir sem luta, ou pelo menos sem um prazo longo, do trabalho escravo mantido até agora. Acho que nenhum europeu pode pensar de outra forma e você, minha Grete, não deve julgar a sua Ulla uma desapiedada partidária da escravidão.

Ao contrário, ela continua suave como sempre foi e compôs até uma poesia lírica, noutro dia. Isto é, sem dúvida, bastante consolador!

Sua Ulla

Diante de mim estão umas rosas magníficas que Mr. Hall me ofereceu ontem; encontrei-o de novo, por acaso, e ele tinha-as comprado também... por acaso.

São Paulo, 5 de maio de 1882

Minha Grete do coração!

Na sua última carta você faz uma observação sobre o nome pomposo de minha alunazinha Lavínia. Pois bem, esse é apenas um dos que formam uma sequência "histórica" completa, sob minha vara pedagógica. O menino mais velho chama-se Caius Gracchus, meu terceiro discípulo Plinius, que segundo me contou Lavínia devia chamar-se Tiberius, não recebendo esse nome por ser muito comum entre os pretos. A ele, segue-se um par de patrícias romanas, Clélia e Cornélia, que espero ainda e sempre ver com as caras limpas, se é que se pode exigir isso de autênticas republicanas da gema, filhas de republicanos. Os nomes das crianças fazem parte da profissão de fé política do Sr. Costa. Até Cornélia, posso acompanhá-lo; mas por que haveria de dar o nome de Vercingetorix ao seu caçula? É para mim mistério insondável. Será possível que ele desconheça os sentimentos do honesto e velho gaulês em relação ao seu povo predileto, os romanos? Ou pretenderia ele formar dois partidos inimigos para as brincadeiras de soldados? Isso não é admissível porque as crianças brasileiras não costumam brincar de soldado, e além do mais os primos poderiam servir, pois também não receberam nomes simples como João, Luiz, Carlos, contando-se entre eles um Temístocles e um Péricles.

Mais pacíficas se apresentam as primas grandes e pequenas; entre elas nenhuma Safo ou Aspásia rivaliza com as nossas romanas; em compensação, desequilibram um pobre cérebro europeu com a abundante e estupenda repetição de seus nomes: D. Maria, D. Maria Salomé, D. Maria Madalena, D. Maria da Glória, D. Maria da Conceição, D. Maria da Cruz e assim por diante, *ad infinitum*. É de se ver a perícia dos brasileiros para distinguir todas essas Marias, e vão ainda além! D. Maria Madalena, filha de D. Maria das Dores etc. Essa preferência pelo nome próprio denota uma certa falta de civilização, um retorno a Adão e Eva, que também não tinham sobrenome. Seria bem mais fácil distinguir todas essas Marias acrescentando-lhes o nome de família em vez do da mãe, evitando assim juntarem-se dois ou três nomes consecutivos. Sinto-me sempre um pouco chocada ao ouvir um mocinho dirigir-se a uma senhora idosa chamando-a de D. Gabriela, ou a um velho vovô de cabelos brancos, dizendo-lhe Sr. Carlos. Nessas ocasiões, aprecio nossos títulos. Quando usamos "senhora conselheiro", "senhora meirinho" e "senhora superintendente", percebe-se logo que não se trata de uma menina de 17 anos; enquanto aqui, nunca se sabe em que altura está colocada uma pessoa, na escala das idades. Se você se dirige a uma senhora, não deve empregar o "senhora"

Maria, pois isso é tomado como ofensa; na boa sociedade "senhora" só se emprega sem o nome de batismo, porque com o nome é adotado somente nas classes baixas, entre os mulatos ou os pretos libertos.

Nas lojas, as educadoras alemãs e também as outras estrangeiras são chamadas de "Madame", palavra já por si desagradável de se ouvir, mas que nos parece ainda mais detestável quando percebemos que o orgulho dos brasileiros a encontrou para diferenciar as brasileiras das estrangeiras (faça o favor de dizer isso com bastante desprezo).

Em todas as famílias, trata-se a dona da casa de Sinhá, o senhor de Sinhô, a filha mais velha de Sinhazinha, o filho mais velho de Nhonhô; as duas últimas denominações são usadas pelos irmãos, entre si. Às outras crianças dizem também Nhonhozinho, Nhanhá, Sinhara, Nenê, Bebê, muitas vezes, e outros apelidos do mesmo teor, cada qual mais feio que o outro. Imagine os seguintes irmãos enfileirados: Sinhazinha, Nhonhô, Nhanhá, Sinhara, Nenê, Nhonhozinho, Bebê; para nossos ouvidos, representariam o cúmulo do mau gosto, mas eles existem de fato, em todas as famílias do Brasil. Demonstra-se uma especial predileção por abreviar o nome das moças chamadas Maricota, dizendo-lhes "Cocotte"!

Inúmeras pessoas são conhecidas aqui somente pelo apelido. Esse costume também se encontra no Tirol e na Bavária, mas lá os apelidos são derivados dos nomes próprios, ao passo que aqui, muitas vezes são bobagens inexplicáveis. Em São Francisco havia um empregado português que nunca foi conhecido de outra forma senão como João do Chapéu; até mesmo o Dr. Rameiro assim se referia a ele com a maior naturalidade e estou certa de que seu nome era escrito dessa maneira no livro de pagamentos. Certa vez o doutor foi a cavalo até uma cidadezinha próxima e procurou pela casa do Sr. Carlos de Oliveira; ninguém sabia indicá-la, mas, por sorte, ele lembrou-se do seu apelido estúpido e perguntou pelo Nhonhô Padre (senhor padre) e imediatamente obteve a informação desejada.

Por outro lado, parece que para o brasileiro um nome nunca é bastante imponente, e procuram arranjá-lo da maneira mais original possível. Lembra-se de como na pensão admirávamos invejosas aquela brasileirinha, ou melhor, seu nome grandioso e retumbante? – Julieta Olímpia Leite da Costa Pinto! Quem poderia chegar-lhe à altura chamando-se Ana Schulze? E como nos sentíamos envergonhadas de haver gente com o sobrenome de Meyer! Mas... mas... – as ilusões lá se vão. Imagine que Leite quer dizer *Milch*; Costa, *die Küste*; e Pinto, *das Kücken* e ficará reconciliada, como eu também fiquei, com Schulze, Miller e talvez até com Meyer. Justamente os sobrenomes de Costa, Pinto e Leite são aqui usados por 50% da população em suas diversas combinações. Chaves quer dizer *Schlüssel*; Machado, *Axt*; e Leitão, em impiedoso alemão, *Ferkel*! Não há dúvida; o marquês de la Marlinière tem razão: "A língua alemã é um idioma pobre, uma língua pesadona." Devido ao excesso de consoantes nossos nomes soam chochamente, sem nenhuma ênfase! Como fazem melhor figura as terminações em a ou o e até mesmo em *oa*!

Pois sim; se, na nossa Alemanha, inventar um nome bonito fosse tão fácil como aqui, creio que certos sobrenomes "coletivos" imediatamente seriam extintos com grande alívio para a estirpe dos Cohens. Por aqui, quando alguém não está satisfeito com o nome que recebeu, ou se existe motivo para confusão, junta-se-lhe um outro, manda-se publicar nos jornais e pronto. Fräulein Meyer está numa família onde o patrão e seus irmãos usam sobrenomes completamente diferentes. Aliás, vão buscar o melhor onde o encontram. Há no país pessoas que se denominam Montmorency, Medina-Coeli; e são numerosos os Pedro de Alcântara, que, como você sabe, é o nome do imperador. Neste último decênio, alguns nomes alemães também caíram em graça perante os brasileiros. Segundo certa publicação, uma pessoa, descontente com seu nome, desejava acrescentar-lhe com urgência o de Habsburgo, o que me seria totalmente indiferente, se não existisse o risco de algum pesquisador alemão vir a conhecer a existência desse sobrenome no Brasil, incluindo nas páginas da história, com prazer e entusiasmo, num emaranhado de números e de datas, essa linhagem emigrada dos Habsburgos. Guardarei o recorte desse jornal até que você possa, pelo menos, passar tranquilamente nos seus exames.

Outro dia, fiquei indignada com esse abuso de nomes alheios, quando um indivíduo de péssima reputação, ao ser preso por perturbação da ordem, deu o nome de João Leão Bismark. Se o imperador está disposto a tolerar todos os pseudo Pedro de Alcântara e o barão, senhor de escravos, permite que seus pretos libertos adotem seu nome de família, digamos então simplesmente – *de gustibus non est disputandum!** – mas creio que nós, alemães, estamos no direito de tratar nossos grandes nomes com maior consideração e devíamos proibir que se servissem deles também nos países estrangeiros.

 Cheguei a tal ponto de reprovação que não posso encontrar uma solução conveniente para o assunto. Não se zangue, portanto, querida Grete, porque vou dar um salto; isso agora está na moda e nossos melhores escritores dão verdadeiros saltos mortais, quando um enredo não progride. Acho isso muito cômodo, então... Imagine que um destes dias, um moço brasileiro me tirou para dançar usando a seguinte frase: "Vossa Excelência já tem par?" Ao meu lado estava sentado seu irmão mais moço; do outro lado havia um violoncelo encostado, portanto, a excelência só podia ser eu! O moço tinha uma aparência muito simples para pretender divertir-se à minha custa: então, a excelência foi dançar. O caso me pareceu tão divertido que, na primeira ocasião, contei-o rindo à mãe de Lavínia – que me ouviu com aprovação! A mais elementar cortesia assim o exigia (por favor não procure interpretar isso, complicando ainda mais suas ideias) e o "Vossa Excelência" soa muito melhor que um banal "a senhora". Contra tal opinião não havia objeções a fazer e retirei-me com a lição. O modo de se tratar aqui aos outros forma uma ciência especial e, segundo o que pude observar, muito mais complicada que entre nós. Sobre a maneira de se dirigir às senhoras, já lhe falei. Os homens todos são chamados "senhor" por-

---
* "Gosto não se discute!"

que o *don* em português escreve-se dom e é privilégio dos príncipes. Mas o "senhor" pode ser usado generosamente, em relação a todo homem que não seja escravo, pois todos eles têm direito a esse tratamento, até mesmo a gente da roça e de pé no chão; nesse caso, porém, recorre-se a um subterfúgio, pronunciando-se rapidamente a palavra, que soa mais ou menos como "sior", marcando assim claramente a distância. Quando nos dirigimos a qualquer pessoa dizemos também, geralmente, "o senhor" e "a senhora":

– O senhor quer emprestar-me esse livro?

– A senhora deseja um copo d'água?

"Você" equivale ao nosso tu e assim são tratados os escravos e as crianças, enquanto que aos pais se diz "o senhor" e "a senhora", mas raramente "papai" e "mamãe". Mais ou menos entre o "você" e "o senhor" ou "a senhora" encontra-se o "Vossa Mercê", que se acha traduzido no Olendorf como *Euer Gnaden*; não é essa porém a significação exata da expressão, que se aproxima mais do nosso *Sie* e é em geral pouco empregada. Uma fórmula adotada como demonstração de maior deferência que o "o senhor" é a "Vossa Senhoria". A esse respeito ouvi aqui outro dia, de um nosso estimado conterrâneo, o Sr. Gruber, que devido às suas atividades possui também alguma influência política, a narração de um pequeno episódio bastante espirituoso, referente a uma elevação gradativa de títulos.

Ele devia conversar a respeito de eleições com um modesto brasileiro do interior (gente aqui chamada de caipira) e dirigiu-se a essa pessoa usando simplesmente o "você"; mas, de sua parte, o homem tratou-o por Vossa Mercê.

Gruber, não desejando ficar atrás em matéria de cortesia, começou a usar da mesma expressão. Mas o nosso bom caipira resolveu elevá-lo a "Senhor" e depois a "Vossa Senhoria", acompanhado até esse ponto pelo Sr. Gruber. Imediatamente o outro empregou um título acima, chegando ao "Vossa Excelência". Então, o Sr. Gruber advertiu-o rindo: "Olhe, meu caro amigo, vamos parar aqui, pois, afinal de contas, não nos podemos dirigir um ao outro tratando-nos de Vossa Majestade"...

Mande-me para cá o maior inimigo de títulos que você encontrar e logo ele estará abençoando os que possuímos aí e que tantas vezes servem de alvo às zombarias das nações estrangeiras. A aristocracia deste país é originalíssima, fazendo parte dela gente que emigrou de Portugal para vir trabalhar no campo e chegou aqui de pés descalços! Mas os barões, marqueses e viscondes da fábrica de D. Pedro representam uma boa rendazinha para o Estado. Pena é que o marquesado adquirido por preço elevadíssimo seja enterrado com seu feliz comprador. D. Pedro não confia no seu zé-povinho de sangue esquentado; o pai é barão, mas o filho será talvez um revoltoso, de maneira que não se concede a hereditariedade. Mas, dessa forma, que benefícios trará ao país essa aristocracia? É muito raro, e somente com licença especial do imperador, quando deseja verdadeiramente distinguir alguém, obter-se permissão para juntar-se um "de", ou simplesmente o título, ao sobrenome do contemplado; caso contrário, esses títulos referem-se quase sempre ao nome de uma região. A maior parte dessas denominações é tirada da antiga língua guarani, dos indígenas, designando ainda inúmeros lugares no Brasil. Há por exemplo um marquês de Itanhaém, que quer dizer pilão de pedra; um visconde de Suassuna, veado preto; um visconde do Uruguai, rio do rabo de galo; um visconde de Muritiba, lugar onde há moscas; um barão de Cambati, quer dizer, do macaco preto; um visconde de Iroumitatá, ou do engole fogo... Alguns nomes são portugueses e então o imperador aproveita para fazer espírito. Um barão do Grão Mogol, que ele inventou, não é dos piores. Parece que diante da sarcástica malícia do imperial fabricante de títulos, muitos pretendentes têm renunciado e eles.

Apesar de tudo isso, querida Grete, a gente dança conforme tocam; portanto, quando me escrever, enderece suas cartas à

Ilma. e Exma.

Sra. D. Ulla von Eck

o mínimo de que posso dispor, senão serei considerada insignificante demais.

Sou sua, D. O.

São Paulo, 29 de maio de 1882

Minha querida e boa Grete,

Meus discípulos romanos são realmente muito mal-educados e preciso recorrer a variados recursos pedagógicos para tratar com eles. Não posso de modo algum deixar os dois meninos sozinhos, embaixo, trabalhando na sala de estudos, enquanto em cima dou lição de piano a Lavínia. Lembro-me da história do lobo, a cabra e os repolhos, que um barqueiro devia transportar através do rio, cada qual por sua vez, sem poder abandonar em segurança a cabra e o repolho ou o lobo e a cabra. Outro dia, Caius Gracchus – o pai dele sempre o chama pomposamente de "Gracho" –, o menos dotado, embora o mais forte dos dois, jogou o irmão pela janela baixa do andar térreo enquanto este, aos berros, atirava pedras e areia para dentro; você bem pode imaginar o estado em que ficou meu quarto.

    Os pais absolutamente não se incomodam com o comportamento das crianças e talvez isso esteja dentro dos "métodos" republicanos adotados pelo Sr. Costa. Os três mais velhos foram entregues inteiramente à minha direção mental e os "patrícios" mais moços são bem ou maltratados pelas pretas, conforme lhes dá na veneta. Vi há dias o menino Mucius, logo em seguida ao banho, completamente nu, correndo pelo jardim. Raramente encontro a mãe do Gracchus, como a corajosa nadadora Clélia, senão em *toilette* sumária. A brasileira, nas grandes reuniões ou na rua, é tanto mais o que os ingleses chamam de *dressy*, quanto são primitivas suas roupas caseiras. Mesmo as senhoras mais distintas andam em casa com as tranças soltas, saias de chita sem cintos e largos paletós. Durante os dias de calor, isso pode ser muito agradável; mas nos meses mais frescos, se não usam roupa mais quente, é apenas por preguiça, pois seriam mais apropriadas e bem fáceis de suportar. Os vestidos de lã ficam pendurados no armário ou mesmo nem existem. Em casa, usa-se algodão, e, na rua, tecidos laváveis mais finos e muita seda. Acham que os vestidos de lã não são asseados porque não podem ser lavados todas as semanas. Sabe, Grete, em questões de asseio e ordem, estes brasileiros possuem ideias bem extravagantes... Tomam banho constantemente, a maioria todos os dias, mas, assim mesmo, muitas crianças e adultos não apresentam pescoço e orelhas impecáveis; trocam a roupa de baixo e os vestidos seguidamente, mas não raras vezes estão ambos rasgados ou malcuidados! Sobre este ponto, existe uma certa discórdia entre nacionais e estrangeiros. Alguns hábitos brasileiros provocam justificadas críticas dos de fora, embora não sejam tão reprováveis como diz o Sr. Zölner. Por isso, os brasileiros vingam-se, contando a anedota de um alemão que, no seu segundo dia de permanência numa casa, respondeu indignado, quando lhe ofereceram um banho como no primeiro dia: "Não! Não sou assim tão porco que precise tomar banho todos os dias." Como resposta a essa história existem anedotas alemãs e inglesas, em parte muito mais grosseiras. Essas disputas inúteis não irão modificar de nenhuma forma os caracteres inatos influenciados pelo clima.

Pessoalmente, sofro com certas peculiaridades do país e, acima de tudo, com o calçado. Aqui em casa nenhum sapato é engraxado. Você não faz ideia do trabalho e das astúcias de que fui obrigada a lançar mão, para prover a casa duma instalação de engraxate e conseguir uma preta com a capacidade de aproveitá-la na justa medida. Esta última condição ainda não representa até hoje uma vitória. O Sr. Costa manda envernizar os sapatos, o que é muito mais do agrado dos pretos, por ser mais fácil do que engraxá-los; Madame, em casa, usa chinelos e, na rua, sapatos rasos ou borzeguins bronzeados. Aqui, as senhoras não têm necessidade de boas e resistentes *chaussures* porque nos dias de mau tempo ficam em casa sossegadamente. As crianças andam com sapatos maltratados, isto é, com verdadeiros molambos que lhes caem dos pés, como o Plinius, por exemplo, que em duas semanas põe um sapato em pedaços. A reforma dos calçados é aqui desconhecida; usam-nos até se tornarem imprestáveis e depois são substituídos por outros novos. Não há bons sapateiros, mas somente lojas de calçados prontos, em sua maioria importados da França; assim, para os estrangeiros é muito difícil mandar consertar qualquer coisa, a não ser que se confie o serviço aos remendões ambulantes italianos que consertam sapatos diante das portas, como fazem na nossa terra os funileiros com as panelas.

O artesanato é pouco comum aqui, sendo raro encontrar-se entre os brasileiros um artesão; os poucos disponíveis são alemães, portugueses e italianos. Essa falha encarece demais a vida, pois só se podem adquirir coisas já feitas, sem se contar com a possibilidade de conservá-las à custa de ocasionais consertos e reformas. Acho que para um artesão esforçado o campo seria bastante compensador, talvez ainda mais que para os agricultores que desconhecem o clima, as condições da terra e do mercado, neste momento desfavoráveis, por causa da emancipação dos escravos e cuja vida se torna difícil devido à superprodução do principal produto de exportação: o café. Toda mercadoria fabricada por um bom e competente artesão sempre encontra seu mercado; e os indivíduos trabalhadores e capazes de qualquer forma acabam vencendo.

Pela primeira vez nestes últimos tempos regozijei-me com a falta de reparadores hábeis neste país.

Cassius e Plinius possuem cada qual o seu velocípede; o primeiro ganhou mesmo uma moderníssima bicicleta que o Sr. Costa mandou vir da Inglaterra para ele. Nesses veículos amaldiçoados os jovens romanos passam a vida fora das aulas, demonstrando-lhes tal apego que já chegaram a ponto de almoçar encarapitados nos tais velocípedes. Como os pais assistiram à cena impassíveis, achei melhor não interferir; mas o sossego de minhas refeições não aumentou na vizinhança das três ameaçadoras rodas do

Plinius. Os momentos mais inquietantes eram aqueles em que ele voltava ao seu lugar depois de pequenas excursões de recreio em volta da mesa, realizadas nos intervalos de cada bocado. Só levou uma severa repreensão quando esbarrou com tanta força na minha cadeira que quase me atirou com o rosto dentro do prato; mas depois o irritante veículo continuou com seus privilégios. Felizmente agora essa coisa odiosa está quebrada; enquanto escrevo no meu quarto aqui embaixo, apenas a bicicleta grande está rodando sobre minha cabeça, lá em cima, na sala de jantar, porque, por estar chovendo, o Gracchus se exercita dentro de casa. É uma verdadeira salvação!

Contei isso a Mr. Hall, outro dia, e ele me disse que conhecia entre os seus operários alguém que seria capaz de consertar os velocípedes; mas, em consideração aos meus nervos, não o revelaria se lhe pedissem auxílio. Foi muita gentileza de sua parte; você não acha, Gretele? Por uma carta da irmã, que me deu para ler, descobri que se chama George.

Mas tenho de terminar depressa, porque Fräulein Harras está chegando; vem todas as segundas-feiras e às quintas-feiras, vamos juntas visitar Fräulein Meyer... Cá está ela e manda muitas lembranças à Grete sobre quem lhe tenho falado muito,

a sua Ulla

São Paulo, 25 de junho de 1882

Minha Gretele do coração,

Escrevo-lhe dentro de uma densa atmosfera de fumaça de pólvora. Relanceie um olhar à data acima e compreenderá por quê. Ontem foi novamente o dia do Batista (já faz um ano que lhe escrevi de São Francisco!) e aqui na cidade nota-se ainda melhor o que isso representa no Brasil!

    O santo já apareceu há alguns dias, pois todas as noites queimavam-se fogos e, mesmo à claridade do sol, estouravam os foguetes. O brasileiro parece divertir-se ainda mais com os estrondos e o fuzilar da foguetaria do que com o seu aquático esporte carnavalesco, pois os folguedos pirotécnicos são mantidos de contrabando durante o ano todo, reservando-se os prazeres aquáticos somente para os dias de carnaval. No Rio de Janeiro, em lindas noites, éramos obrigadas a fugir do jardim para dentro de casa, porque a vizinhança brincava com fogos, pouco se importando o pirotécnico brasileiro em saber a direção em que solta seus foguetes nem em que cabeças irão cair as fagulhas de suas bombas, contanto que chispem, crepitem e estourem. Nas bancas das negras, na cidade, veem-se expostos à venda durante todo o ano os fogos mais comuns, e cada moleque (mulatinhos que correspondem aos nossos garotos de rua) possuidor de alguns "reis" [sic] compra invariavelmente, junto com os seus apreciados doces e cigarrinhos de papel, alguns foguetinhos ou um *cracker* para alegrar o coração com seus estalos e fagulhas.

Na penúltima e última noite não consegui fechar os olhos: todas as ruas, todos os pátios, todos os jardins da circunvizinhança crepitavam, estouravam, explodiam, estalavam e silvavam em tais proporções e com tamanha insistência que estou certa de conhecer agora a sensação exata que domina uma pessoa quando ela se encontra em meio de um cerrado tiroteio. A cidade inteira está cheirando a pólvora e meu dormitório, que é de novo uma alcova sem ventilação direta, acha-se tão impregnado de fumaça que, durante muitas noites ainda, São João não correrá o risco de ser esquecido por mim.

Ontem era realmente um perigo sair-se à rua. Esse esporte começou logo de manhã e não é preciso dizer que os estudantes foram os mais temíveis; eles sentem um especial prazer em aparentar um ar inofensivo quando vão passando, mas, de repente, ao cruzar com qualquer pessoa, principalmente se é um estrangeiro facilmente reconhecível, atiram-lhe uma dúzia de buscapés, ou queimam-lhe junto ao nariz bastões com chuvas de estrelinhas. A última palavra nesse esporte pirotécnico eram antigamente as denominadas serpentes, que se queimavam coleando pelo chão; com prazer tão infantil quanto perverso, muita gente divertia-se em atirá-las contra os pés e as roupas de pessoas do sexo feminino. Essa brincadeira durou até o dia em que um cultor de musas ateou fogo, com excessiva perícia, ao vestido de chita de uma mulata, produzindo-lhes graves queimaduras. Julgou-se então que já era tempo de tapar o poço, um pouco tarde demais, pois a criança já caíra lá dentro. Mas aqui no Brasil, seja lá como for, sempre devemos ser gratos por uma providência dessa espécie.

Você facilmente fará uma ideia, Grete, do estado de espírito em que se achavam os meus romanos, fora de si de tanta excitação; só me admiro de não terem incendiado a casa com todos os seus habitantes... De tão evidente, nem seria preciso contar que o Gracchus chamuscou os cabelos e o Plinius torrou um dedo. Até mesmo Lavínia destoou, ficando com o vestido todo furadinho por causa dos fogos.

Ontem foi a grande noite da fogueira, tendo-me o Sr. Costa solene e especialmente convidado para ficar no andar superior depois do jantar, porque iam ser queimados "alguns fogos"... Com certeza estava achando que ainda não era suficiente o que se tinha feito até então...

Por mais estranho que pareça, a polícia criou ânimo e resolveu proibir que os fogos fossem queimados nas ruas ou soltos das janelas para as ruas, e o mais admirável é que essa imposição foi atendida! Por isso, em minha ingenuidade europeia, julguei que o Sr. Costa mandara preparar pelos pretos, no jardinzinho situado atrás da casa e que se pode ver da sala de jantar, um lindo fogo de artifício, com lágrimas de fogo, rodinhas faiscantes, repuxos de chispas coloridas, fogos de bengala, mais ou menos como entre nós se organiza um espetáculo dessa ordem. A presença de dez a doze convidados ainda mais me confirmou a minha crença, e cheia de entusiástica expectativa aproximei-me de uma das janelas, que estavam levantadas. Mas... Grete, tenho pouca sorte com esportes de predileção dos brasileiros, porque... ssss-cht! – recebi como saudação, enquanto recuava apavorada, as últimas fagulhas e uma vareta de foguete desgarrado, que um hábil glorificador desse tão bombardeado, assobiado, e esfogueteado santo mandara em direção errada, diretamente às nossas janelas. Algumas senhoras e crianças que se haviam também aproximado pularam para trás, gritando e rindo como se aquelas coisas todas despertassem entre eles um jubiloso encantamento, de sorte que tive de sufocar, perplexa, minha indignação interior. Estará certa essa manifestação de boa índole e seremos nós disciplinados demais?

Começou então a nossa brincadeira também, que consistia em queimarmos nós mesmos os nossos fogos; aliás, isso parecia muito mais do agrado dos brasileiros, do que se postarem calmamente, apenas como espectadores, mostrando-se os meninos trepidantes de impaciência.

O Sr. Costa mandara vir do Rio especialmente para essa noite uma quantidade incrível de fogos que foram distribuídos por ele generosamente. Longos canudos, com chuvas de fogo, e *crackers* ingleses eram os mais procurados e cada um recebia quantos desejasse. As quatro janelas da sala estavam repletas de gente e de cada uma delas saíam três a quatro desses canudos, sustentados pelas mãos morenas cheias de anéis das senhoras, ou pelos dedos nervosos daqueles molequinhos selvagens que ainda bem não acabavam de queimar seus fogos, já os atiravam ao pátio para poder agarrar depressa um outro intacto de qualidade diversa. Pouco a pouco, e apesar das janelas estarem abertas, a sala foi invadida pela intolerável fumaça de pólvora que em grande volume se desprendia dos tais canudos, sendo empurrada para o nosso lado pelo vento noturno.

A cena observada a sangue-frio apresentava um aspecto infinitamente cômico: todas aquelas beldades, com vestidos de diversas cores, cobertas de joias de ouro e empunhando os canudos fumarentos, com o rosto virado e os olhos apertados... divertiam-se na fumarada dos fogos; os meninos, excitados e barulhentos, com a cabeça quente, pulando na sala como loucos, atirando *crackers* pelas janelas uns após outros sem que ninguém os percebesse senão pelo estrondo com que rebentavam no calçamento de pedras do pátio; juntando-se ao mais a imperturbável seriedade do dono da casa, distribuindo os fogos, tudo dentro de uma espessa e irrespirável atmosfera de pólvora – confesso, isso representava para mim um divertimento ainda desconhecido. Em uma hora haviam-se esbanjado 60 francos de mercadoria, todo o sobrado durante a noite e no dia seguinte empestara; dois dedos de estranhos e um dos históricos tinham sido queimados – e somente a porta dos fundos, as cordas de estender roupa e a cerca desengonçada tinham apreciado os fogos, imagino eu.

Plínio procurou alegar como pretexto a queimadura de sua mão esquerda para não escrever com a direita e ficou furioso por não conseguir convencer-me, como se convencera a si próprio. *Ach*! *Ia*! Grete – esses romanos são terríveis, mas desejo ser paciente. Mr. Hall também acha que devo tentar aguentá-los. Mas quanto ao Bormann, Grete, como você está vendo, ele não tinha preparo para lidar com crianças brasileiras de educação republicana! Então, de cabeça erguida e bem no seu lugar!

Sua velha Ulla

São Paulo, 28 de junho de 1882

Imagine, Grete; de um céu sem nuvens, caiu-me um raio sobre a cabeça! Devo ir-me embora de São Paulo! Essa é a vingança do destino contra minha fuga do colégio! Irei de novo para uma fazenda, de novo ficarei sozinha, morando entre cobras e pretos!
Mas ouça.

Na última carta que lhe escrevi e que provavelmente irá chegar ao mesmo tempo que esta, dizia-lhe que os patrícios romanos tinham ultrapassado todos os limites nestes dias de esportes pirotécnicos; mas nós não sabíamos ainda até onde tinham chegado. Com certeza inspiraram-se no Juca e Chico, pois, em tradução brasileira, possuem grande semelhança com esses clássicos das diabruras asnáticas! Poderá você adivinhar qual foi a mais notável peça que pregaram nos dias de São João? Correram até a rua principal e lá atiraram fogos contra as patas dos animais dos bondes de burro, divertindo-se como uns demônios em colocar bombas sobre os trilhos, chegando a derrubar um dos animais, que, naturalmente, quebrou uma perna. Ontem, o diretor da Companhia denunciou-os ao pai, que foi obrigado a pagar o preço do animal e a suportar gratuitamente essa contrariedade. Esse alegre *intermezzo* enraiveceu demais o republicano pai dos romanos, que resolveu entregá-los aos padres imediatamente, para serem educados; para Lavínia somente, não vale a pena manter uma educadora, e irá também para um colégio. Pobre Lavínia! Mas pobre Ulla também, que terá de recomeçar a sua peregrinação! Gostava tanto de estar aqui em São Paulo! Posso suspirar como Trompeter:

> Todos os anos cresce no jardim
> uma nova planta,
> diferente das anteriores.
> A vida seria uma dança de loucos
> se ela não fosse tão séria.

Ach! Grete! De repente me senti tão desanimada! Tenho constantemente vontade de chorar... Não tenho sorte, mesmo. Mr. Hall, a quem contei tudo isso ontem à noite – ele ia visitar Fräulein Meyer e nos encontramos por acaso – exclamou muito contrariado: "*It's too bad, yes, this is too bad.*"*

Fräulein Meyer acha que poderá arranjar-me uma colocação com os primos de seus próprios alunos, mas é novamente no campo, de modo que devo deixar São Paulo, que é tão do meu agrado! *Ach*! Grete! Asseguro-lhe que estou perdidamente apaixonada por São Paulo. Vou me sentir muito infeliz quando partir. Verdadeiramente miserável. A vida é bem difícil, Grete!

Sua Ulla muito desolada

---

* "Isso é muito ruim, sim, é muito ruim."

São Paulo, 1º de julho de 1882

Não há dúvida, Grete, "ela vai mesmo para o campo". Mas, por sorte, não é longe; apenas duas horas de estrada de ferro daqui até a estação que serve essa fazenda. De qualquer forma é um consolo, porque assim a gente não fica completamente afastada do mundo. As crianças, três meninas, parece que são de boa índole e a mãe, D. Maria Luísa, é conhecida por sua delicadeza e tem grande simpatia por tudo o que é alemão. Ela mesma teve professoras alemãs e seu único filho está sendo educado na Alemanha. Somente já me disseram que vou achar muito primitiva a vida nessa fazenda instalada à moda antiga do país. Sinto algum receio quanto a esse gênero e ao mesmo tempo estou muito curiosa de conhecer a autêntica vida do campo brasileira sobre a qual centenas de pessoas que visitam o Brasil não conseguem formar uma opinião. Nesse particular, nós, as professoras, levamos vantagem em relação aos comerciantes e outros europeus, dentre os quais muito poucos se afastam das cidades marítimas, e a maioria, depois de dez ou vinte anos, retorna à Europa sem conhecer o resto do país e muito menos a vida real dos brasileiros; ao passo que, convivendo na intimidade deles, temos ocasião de observar de perto toda a trama.

Então, rumo a São Sebastião! *Variatio delecta!** Escreverei logo, contando como se me apresenta o nosso santo.

Sua fiel Ulla,
professora ambulante

---

* "A variedade não cansa."

São Sebastião, 11de julho de 1882

Minha querida Grete,

Não há dúvida que São Francisco era um santo muito mais elegante; aqui somos bastante primitivos – apesar disso, entendo-me melhor com São Sebastião! Esta família é a mais simpática que até agora conheci entre os habitantes do país, a mais compreensiva, direi mesmo a mais europeia, não obstante o primitivismo da fazenda; são também menos pesadões e indolentes que a maior parte dos seus conterrâneos.

Em primeiro lugar, devo dizer que segundo nossos hábitos europeus, o Sr. de Sousa foi buscar-me pessoalmente à estação. Os brasileiros têm uma estranha noção sobre conveniência, pois acham profundamente censurável o fato de uma jovem professora viajar da estação até a fazenda na companhia do pai de seus alunos, mas consideram natural que ela percorra essa distância sozinha com o cocheiro preto, ou a cavalo com um dos trabalhadores livres, chamados "camaradas", como aconteceu outro dia a uma colega durante uma viagem de sete horas! O Sr. de Sousa foi muito atencioso e conversou comigo; mas em geral, como diz Fräulein Meyer com muito espírito, nós, europeias, devemos considerar "cortesia" da parte dos homens brasileiros, quando não nos dão atenção. Infelizmente essa observação não é de todo injusta e por isso sinto-me ainda mais satisfeita por me encontrar entre pessoas inteligentes.

No percurso da estação até a fazenda, que no tempo chuvoso do verão só pode ser feito a cavalo, gastamos quase cinco horas de trole. Em certas ocasiões pensei que não chegaríamos sãos e salvos a São Sebastião, por causa das montanhas de difícil acesso; subíamos e descíamos as mais íngremes encostas, atravessando enormes alagadiços e outros trechos bastante acidentados da "estrada". Aprendi a comparar a enorme diferença que existe entre os caminhos daqui e os da Província do Rio, ou melhor, entre eles e a estrada de São Francisco, que era quase tão boa como uma *chaussée*. Em todo caso, Grete, isto aqui é mais interessante e possui mais "cor local".

Atravessamos uma grande extensão de mata virgem onde o caminho era péssimo, apropriado apenas às montarias; os fazendeiros desta zona têm imenso trabalho para manter essa estrada que a vegetação invade facilmente e que, no tempo das chuvas, não pode ser reparada. Quando é preciso limpá-la e reformá-la, cada fazendeiro que se serve desse caminho manda à estação uma turma de escravos; de lá eles regressam todos juntos, executando o serviço, até que aos poucos se vão separando ao chegar ao lugar de onde vieram, tomando pelos atalhos para alcançar as fazendas que não ficam à beira da estrada. Nossa viagem através da floresta não tem comparação com a que se faz através dos nossos faiais ou pinheirais, porque a mata apresenta aspecto muito diferente das nossas. Não são bem-tratadas e de cultura não se vê sinal; é impossível penetrar-se nelas ou mesmo devassá-las. Aqui não se deve esperar aquela sensação de solenidade grandiosa que nos domina sob a cúpula e dentro do silêncio das nossas florestas; as de cá, em sua quase totalidade, apresentam grande agitação, algo de fantástico e misterioso, qualquer coisa que nos oprime e angustia. A magia da mata virgem, que lhe confere encanto especial, toca-nos de maneira inteiramente diversa do que acontece em relação às nossas matas. Não pense encontrar árvores possantes e imponentes, pois no princípio, observadas em conjunto, causam impressão muito menos forte que nossos vastos faiais do Holstein e de Westfalia. Certa vez provoquei até grande repulsa entre a Santa Inquisição por afirmar eu, filha de administrador florestal, que não tinha visto ainda no Brasil uma floresta digna desse nome, não se podendo levar em consideração esses troncos compridos e esguios das mais variadas espécies de madeira, misturadas umas com as outras, sem nenhuma simetria. É preciso, porém, para se fazer uma ideia justa, atravessar a cavalo, ou de carruagem essas grandes extensões; só então compreende-se em que consiste a mata virgem e a razão pela qual os troncos não se desenvolvem formando largas circunferências: é que por toda a parte se estende uma vegetação rasteira tão densa que, quando se pretende ir além, isso só pode ser feito passo a passo e de machado na mão. Somente a distância, por um ou outro tronco mais alto e acinzentado, despontando acima dos outros, destacando-se e dando logo na vista, é que se pode perceber que as árvores não são tão compactas. De perto parecem estar tão próximas umas das outras, por causa dos cipós que medem de quinze a vinte metros e outras trepadeiras fabulosamente viçosas enroscando-se e pendurando-se pelos troncos, ligando-os uns aos outros, como se fossem uma espécie de muro verde e balouçante, através do qual as maravilhosas flores exóticas, roxo-escuras ou vermelhas, parecem espiar como grandes olhos arregalados.

Cheguei a São Sebastião muito mais satisfeita do que poderia imaginar ao partir de São Paulo; e ao encontrar D. Maria Luísa e minhas três alunas, ainda mais satisfeita fiquei. A primeira está longe de ser um tipo de beleza, como também não o são as brasileiras que conheci até agora. Usa a sua sainha de chita obrigatória e as tranças soltas, mas é de aparência muito saudável e bondosa, tendo sabido educar muito bem suas filhinhas. Minha aluna mais velha, Maricota, é uma criatura muito atraente, apesar de ser muito calada, o que lhe empresta um ar levemente indolente... As duas menores são tão bem-comportadas que no começo até me impressionei. Trabalhamos perfeitamente em conjunto e estou interessando Maricota mais pelo inglês, para o qual demonstra maior facilidade do que para o alemão, e... você sabe como eu também gosto de inglês... Mr. Hall elogiava sempre minha pronúncia – ele estava na estação quando embarquei, o que aliás não foi muito prudente, visto algumas colegas já andarem gracejando comigo por sua causa.

Mas voltemos às descrições disto aqui.

Na realidade, esta fazenda não se compara com São Francisco. É ainda do tempo dos avós do Sr. de Sousa e há muitos anos não era habitada pela família. Mesmo agora, só serve, por assim dizer, como oficina de trabalho, não se fazendo gastos excessivos para mantê-la. Meu quarto, com todas as suas falhas, é o mais confortável da casa; portanto, não posso queixar-me de coisa alguma, vendo a família contentar-se com menos; além disso, o cômodo que ocupo é bastante claro e arejado. A sala "de visitas" é um salão de paredes caiadas de branco, com cinco janelas; a mobília compõe-se de um sofá de palhinha, 12 cadeiras vienenses, uma rede e uma máquina de costura Singer. Aqui também não há cortinas nas janelas, nem tapetes sobre o chão de tábuas rústicas; nenhum quadro orna as paredes – mas cito, como rara e altamente vantajosa exceção no país, um relógio sempre marcando a hora certa! D. Maria Luísa dá muita importância à pontualidade, merecendo nossa gratidão por fazer servir as refeições dentro do horário, o que nos proporciona uma meia horinha de descanso antes de recomeçarmos as aulas. Às nove da manhã e às três da tarde em ponto, encontramo-nos na "veranda" para o café e para o almoço. "Veranda" [sic] é como os brasileiros (divergindo da nossa noção de uma "veranda") chamam a sala de jantar; mas as inumeráveis janelas e portas de que é dotada essa peça justificam em parte a sua denominação. Essa "veranda" rústica sempre goza da vantagem de ter uma porta dando para o exterior e que é, ao mesmo tempo, a porta traseira da casa, possuindo as características de uma escada dos fundos berlinense. Aqui, tem o mesmo objetivo.

Os servidores pretos e as pretas atravessam-na de cá para lá; água, lenha, mantimentos, roupas, tudo passa para dentro e para fora em grandes baldes e cestas sobre suas cabeças; como geralmente o local se comunica com a cozinha e até mesmo com as acomodações reservadas às pretas, torna-se um precioso posto de observação para a dona da casa, fazendo lembrar o que as cozinhas holandesas representam nessas condições. D. Maria Luísa, ao contrário da maior parte das donas de casa brasileiras, exerce verdadeira fiscalização. Está em toda a parte, não perde as pretas de vista, assa ela mesma um excelente pão branco, de maneira que, por felicidade, livrei-me aqui dos biscoitos. Ela própria faz a manteiga, da maneira mais complicada, servindo-se de uma desnatadeira para bater o creme; costura incansavelmente na máquina Singer, confeccionando roupas brancas e vestidos para as crianças e até mesmo camisas e casacos grossos de inverno para os pretos da casa. Resumindo: ela é mais ativa do que muitas dessas célebres "donas de casa alemãs", de modo que me impõe bastante respeito e afeto. Está sempre de bom humor e se divertiu regiamente com o espanto que demonstrei ao conhecer a "veranda" daqui, tipicamente à "moda antiga", como já me haviam prevenido em São Paulo. Faço questão de descrevê-la:

A sala grande, mais comprida do que larga, não é assoalhada, nem forrada. Metade do chão é calçado com tijolos, enquanto a outra metade conserva, sem cerimônia, o próprio chão de terra batida sobre o qual foi levantada esta casa que, como todas as outras moradias brasileiras, não possui um porão. Nesse chão de terra batida, há um braseiro em volta do qual se reúne a família durante as noites frias do ano, como em nossa terra nós nos aconchegamos em volta do *Ofen*. Nestas condições, a inexistência de um forro só é benfazeja, pois não há outra saída para a fumaça, senão a dos espaços e fendas entre a cobertura de telhas e o vigamento.

De um lado dessa sala surpreendente está a mesa de jantar, onde se toma o café, almoça-se e toma-se o chá da noite, à luz de vela.

Já na primeira noite, notei do meu lugar as múltiplas utilidades dessa "veranda"; enquanto tomávamos o nosso chá, uma preta do lado oposto da sala passava roupa, inspirando-me certo receio em relação às minhas próprias peças, pois naquele canto devia reinar completa escuridão e durante alguns segundos a preta não mexia com o ferro, olhando boquiaberta em nossa direção. Minha única esperança era de que o ferro não estivesse quente demais. Ao lado dessa, uma outra escrava amassava o pão de farinha de trigo. Tudo isso, o relógio, mais a maneira franca da vida de família, já me davam grande satisfação, quando uma nova circunstância acabou de me conquistar por completo. Você não vai adivinhar o que foi e por isso prefiro contar--lhe imediatamente: instalado numa outra zona distante dessa admirável sala, havia um mulatinho engraxando os sapatos! Então, mais esse número 3 entre as exceções: inexistência de aversão geral do brasileiro pela graxa!... O contentamento pela minha nova situação aumentou. O tal mulatinho – aliás menino do abanador durante o almoço – era engraçadíssimo de se observar. A ação monótona de engraxar, executada de forma vagarosíssima, ia-lhe provocando uma irresistível sonolência, e a todo instante interrompia sua atividade recostando-se à parede com os olhos cerrados e a escova levantada no ar, até que a queda desse utensílio de engraxate, ou um reanimador – "então Ivo!" – da dona da casa o reconduzissem ao seu adormecedor andamento. Terminado o serviço, levou os sapatos enfileirados até a mesa, onde a senhora os examinou e com um gesto benevolente despediu o molequinho sujo. Alguns momentos depois ele reapareceu correndo para anunciar: "Cesário ainda trouxe o porco, Sinhá." – Meu Deus! Que amolação! Já é tão tarde! – exclamou a patroa. – Mas não faz mal, que venha bem depressa.

Pela célebre porta dos fundos veio o Cesário, trazendo às costas um porquinho já limpo que depositou sobre a mesa apropriada, começando a reparti-lo. Não pode haver dúvida: esta "veranda" é o *non plus ultra* da versatilidade e sua variada utilização como padaria, sala de passar roupas, banca de engraxate e matadouro ou açougue, economiza – mesmo que não se esteja de acordo – a agitação sem proveito das donas de casa, eliminando as descomposturas. Aqui, não existe nem longínqua gritaria como em São Francisco, porque, para começar, a vigilância é muito mais severa, evitando-se dessa forma que muitos erros sejam cometidos. Então – viva "a moda antiga"!

Sua florestal, Ulla

São Sebastião, 19 de julho de 1882

Queridíssima Grete,

Estou radiante – meu maior desejo foi satisfeito: já sei andar a cavalo! Há alguns dias tive minha primeira aula: não foi difícil. D. Maria Luísa emprestou-me sua saia de montaria até que se faça uma para mim e disse-me sorrindo: "*Mais ne tombez pas Mademoiselle.*" Depois o Sr. de Sousa ajudou-me a montar a cavalo, repetindo sorridente: "Não caia, Mademoiselle." Quando já me achava sentada, Maricota completou a insistente advertência, com uma terceira variação do mesmo tema: "*But don't fall off, Miss*"; exclamou aproximando-se de mim, já aboletada no seu matungo. Em seguida, saímos todos os três a trote, o Sr. de Sousa na frente e eu no meio para maior segurança. Meu Rocinante porém estava acostumado, como os outros cavalos daqui, a seguir exatamente o precedente, não tendo eu nenhum trabalho em dirigi-lo, de sorte que não foi assim tão complicado manter-me firme na sela; ou talvez, segundo a opinião do Sr. de Sousa, tenha recebido esse dom ao nascer. Desde então, já fizemos dois pequenos passeios nos arredores da fazenda e vou-me arranjando sem o auxílio do meu caro primeiro cavaleiro. Algumas colegas, mal desembarcadas da Europa, veem-se obrigadas a montar a cavalo logo na estação, galopando assim horas e horas até alcançar seu destino! Os silhões usados pelas senhoras vêm geralmente da Inglaterra e da América do Norte, mas também podem ser encontrados aqui; a maioria dos homens usa as selas confeccionadas no país, porque neste ofício há gente muito competente.

É muito engraçado de se ver como os pretos prendem os cavalos quando queremos montá-los. Não há cocheiras, nem para o gado, nem para porcos, nem para os cavalos que não recebem tratamento algum a não ser uma vez por outra, quando são levados para comer sal. Aliás, vivem em plena liberdade, alimentando-se com o que podem encontrar, capim ou ervas, que não existem em abundância porque nada se faz no país para possuir boas pastagens. Quando precisamos dos cavalos, um dos homens reúne no pátio interior tantos quantos pôde pegar por acaso; escolhem-se os preferidos e os outros são soltos novamente. É encantadora essa liberdade em que vivem aqui os animais domésticos; mas não engordam e, neste altiplano onde as noites são bastante frias, não é raro morrer na mata um dos nossos pobres animais enregelado, principalmente os mais novos. Os Sousas nem sabem o número de cabeças de gado que possuem; a fiscalização é muito difícil, porque as vacas dão cria no meio do mato e um belo dia aparecem com bezerrinho. Assim também não existe regularidade na extração do leite; em geral, as vacas voltam e são ordenhadas. Mas, quando faz muito frio, ficam pelo campo e depois o Césario anuncia com a maior naturalidade: "Hoje não há leite, Sinhá; nenhuma vaca entrou." Aqui, sob a proteção de São Sebastião, tudo é muito rústico.

Os porquinhos pretos aqui é que gozam de uma boa vida e se reproduzem com rapidez assustadora, embora todos os dias se mate um deles, pois a fazenda consome-os em grande quantidade.

Nesta plantação os escravos são raros, porque o Sr. de Sousa e D. Maria Luísa são contrários ao cativeiro. Possuem alguns pretos apenas para o serviço doméstico, e o trabalho de fora é feito por homens livres. Numa segunda fazenda, São Luís, trabalham os escravos da família que ainda restam, sob as ordens de um administrador português; uma vez em duas a três semanas, o Sr. de Sousa chega até lá a cavalo para inspecionar, levando nove horas de ida e volta nessa viagem. São Luís é uma plantação de café, ao passo que aqui temos açúcar, algodão e sobretudo a serraria; tudo isso, entretanto, exige menos pessoal que a cultura do café.

Acho os brasileiros muito inteligentes por estarem se familiarizando aos poucos com o trabalho feito por "camaradas"; pelo que tenho observado, isso não é nada fácil e se fosse comigo estouraria de raiva! Os "camaradas" são brasileiros geralmente mestiços de índio, denominados "caboclos"; ou são descendentes de portugueses imigrantes arruinados, de aspecto miserável, esfarrapados, piores ainda que os próprios escravos. Mas são livres num país de escravidão, e por isso mostram-se cheios de orgulho e de pretensões incríveis! Entretanto, no trabalho rendem, no máximo, a metade do serviço de um cativo. Nossos fazendeiros ficariam arrepiados se tivessem que lidar com essa gente! Quando chegaram os que se encontram atualmente aqui, o Sr. de Sousa deu-lhes primeiro todo o material para as cabanas e gente sua para ajudá-los a construí-las. Depois cada família recebeu um empréstimo em dinheiro até chegar o tempo das colheitas de suas próprias roças de feijão e milho. Naturalmente isso deveria ser descontado aos poucos dos ordenados. Mas eles gastam o dinheiro e vêm depois "comprar" todos os mantimentos aqui em casa, quer dizer, "compram" toucinho, farinha, café, milho, açúcar em quantidade exagerada, prometendo trabalhar para pagá-los. Muitas vezes não vêm nem trabalhar, e como possuem numerosa família, as dívidas aumentam em vez de diminuir. Diz o Sr. de Sousa que nada se pode fazer, porque, se lhes negar os mantimentos, eles vão-se embora, mesmo quando estão comprometidos por contrato. Como não possuem bens de espécie alguma, é impossível tirar-lhes qualquer coisa, nem obrigá-los a trabalhar. Então prefere deixar tudo como está e contenta-se com o trabalho que consegue obter. Quando não aguenta mais, despede-os: mas o grupo anterior a este deixou-lhe um prejuízo de 2 mil marcos. Conhecendo-se as condições aqui, não se pode estranhar a resistência dos grandes fazendeiros, repelindo por todos os meios a emancipação dos escravos. Onde irão obter trabalhadores? Os pretos libertos não permanecem nas fazendas, como já se deu noutros países escravocratas, e os operários estrangeiros são, em geral, caros demais ou pouco convenientes. Os portugueses e italianos procuram ganhar quanto podem para fazer fortuna e voltar às suas terras; os alemães ambicionam adquirir livremente seus bens de raiz.

A questão operária é, como em nosso país, muito complexa; apenas, existe aí gente de sobra e aqui não há quase ninguém.

Tenho conversado sobre esse assunto com o Sr. de Sousa e D. Maria Luísa, julgando-os muito ponderados no seu modo de pensar. Em princípio, desaprovam a escravidão e desejariam vê-la abolida; mas enxergam também duramente os perigos que ameaçam o país e seus mais ricos fazendeiros, arriscados a empobrecer e mesmo a ficar completamente arruinados com a abolição da escravatura. Esse caso torna-se ainda mais sério, quanto maior a distância em que se encontram as fazendas dos portos que recebem imigrantes. Diante disso, não se pode censurar os brasileiros por desejarem os estrangeiros apenas para substituir os escravos. De outro lado, os imigrantes patrícios nossos nunca aceitarão como desígnio um trabalho em que se veriam de novo na posição de servos, numa nação estrangeira. Quem se dedica, com todos os seus descendentes, a qualquer país, tem o direito de exigir vantagens e independência. Os brasileiros deviam organizar entre seu próprio povo uma classe operária que ainda não possuem, como também criar a classe dos artesãos; alcançariam esse fim com êxito se encaminhassem as crianças pretas libertas para exercer um ofício regular. Mas acontece justamente o contrário:

A lei de emancipação de 28 de setembro de 1871 determina entre outras coisas aos senhores de escravos que mandem ensinar a ler e a escrever a todas essas crianças. Em todo o Império, porém, não existem talvez nem dez casas onde essa imposição seja atendida. Nas fazendas, sua execução é quase impossível. No interior, não há os mestres-escolas rurais como na nossa terra, e assim sendo o fazendeiro ver-se-ia obrigado a mandar selar vinte a cinquenta animais para levar os pretinhos à vila mais próxima, geralmente muito distante; ou então teriam de manter um professor especial para essa meninada?... Essas questões apresentam diversas soluções, mas o fato é que ninguém aqui faz coisa alguma, de maneira que as crianças nascem livres, mas crescem sem instrução e no futuro estarão no mesmo nível dos selvagens, sem gozar nem mesmo das vantagens dos escravos, que aprendem este ou aquele trabalho material. Se já estão livres, por que fazer despesas com eles, desperdiçar dinheiro com quem não dará lucro?

Parece estranho que o Sr. de Sousa e D. Maria Luísa, sempre tão humanos e inteligentes, pensem dessa mesma forma. Não estarão percebendo que, agindo assim, estão preparando a pior geração que se possa imaginar para conviver mais tarde com seus próprios filhos?

Mas vejo que já estou de novo dissertando e oferecendo-lhe uma completa explanação social-econômica. Você não pode calcular como essa situação nos está preocupando aqui; esse é quase o único assunto de todas as conversas. Desse jeito a mais simples das almas mostra-se preocupada com o social.

Agora, não tenho mais tempo para acrescentar um apêndice a esta carta, a fim de livrá-la da impressão dessa conferência, pois vem chegando o marceneiro que está aqui trabalhando e volta hoje à noite para a cidade, levando por obséquio nossas cartas, que o Sr. de Sousa só manda ao Correio nas quintas-feiras. Voltei inteiramente ao sistema antigo.

Um adeusinho por hoje e até a próxima vez.

Da sua Ulla

São Sebastião, 28 de julho de 1882

Querida e boa Grete,

Imagine como estou contente: existe aqui na vizinhança uma fazenda de colonos norte-americanos, gente civilizada, portanto! Ninguém me tinha dito qualquer coisa a esse respeito, mas hoje eles vieram visitar-nos e não calculam o que isso representa para mim. *Ach*! Grete; apesar de muito amáveis, os Sousas não deixam de ser brasileiros; e a nós, estrangeiros, parecem sempre gente estranha, desprovidos de um certo senso de solidariedade que nos une, como hóspedes desta terra. Além disso, a índole e a personalidade dos povos saxônicos despertam muito mais minha simpatia do que as destes latinos. Só ao ouvir o som da língua inglesa respirei aliviada, sem levar em conta as atenções e gentilezas que Mr. Quimby e sua cunhada me dispensaram. Mrs. Quimby ficara em casa com as crianças menores, mas a menina mais velha, de 12 anos, veio a cavalo em companhia dos outros dois. Estiveram aqui no sábado passado e de repente me perguntaram:

– Quer ir conosco amanhã à igreja?

– À igreja? – repeti, admirada. – Onde?

– Oh! Ainda não lhe contaram nada a respeito da nossa igreja? Não é de fato um edifício imponente, mas, mesmo assim, podemos celebrar o nosso culto divino, cada terceiro domingo do mês. Venha pernoitar em nossa casa e iremos até lá a cavalo, de manhã, se quiser.

Se queria! Naturalmente, queria. Selaram logo um cavalo e galopamos alegremente durante 2 milhas até alcançar a fazenda de Mr. Quimby. Agora já sei galopar com facilidade e Mr. Quimby tocou no meu ponto fraco quando me disse: *"You look as if you'd been born and bred on your horse."** Mrs. Quimby recebeu-me cordialmente, como hóspede desejada, e passamos o resto da tarde conversando, sentadas nas redes.

Na manhã seguinte às nove horas, partia para a igreja uma cavalhada completa, tendo-se juntado a nós mais algumas senhoras e senhores.

Enquanto o caminho seguia através da fazenda não era mau, embora não se possa pensar que essa palavra "caminho" designe qualquer coisa além de um trilho, dando apenas para um animal de cada vez; em certos trechos, porém, tornava-se de tal forma intransitável, que, na nossa terra, teríamos retrocedido; mas os cavalos brasileiros não são mimados e, mesmo não estando ferrados, seguem seguros seu caminho, podendo-se confiar neles sossegadamente, até nos trechos mais difíceis.

Nosso grupinho apresentava-se imensamente pitoresco: os vestidos e chapéus claros das senhoras, os guarda-pós

---

* "Parece que você nasceu e foi criada em cima do seu cavalo."

brancos dos homens, as grandes sombrinhas, também quase todas brancas, tudo isso alvejando e reluzindo, sob um sol já quente demais, surgia aqui e desaparecia acolá, no meio das samambaias da altura de um homem, entre as quais os cavalos iam seguindo pelo atalho; em certo momento, ao atravessarmos um brejo tão grande que mais parecia um lago e onde os cavalos afundavam até a barriga, pudemos ver-nos todos refletidos na água, como num espelho.

Nunca tinha saído durante o dia a essa hora, porque em São Sebastião preferimos sempre o amanhecer ou a tardezinha para passear, e devido a isso achava o sol desagradável demais. O caminho subia e descia, e até onde a vista alcançava não havia árvore nenhuma senão algumas raras e esguias palmeiras com suas copas graciosas, mas que não produziam nenhuma frescura, nem sombras pelo chão. Assim, conheci o abatimento que se apossa de nós após três horas de viagem a cavalo, debaixo do sol tropical; o calor ainda seria suportável, mas o pior era o dardejar direto dos raios do sol! Parecia que todos sentiam o mesmo, porque a conversa foi esmorecendo, ficando cada vez mais monossilábica e, por fim, cessou por completo. De repente, numa curva do caminho divisamos um edifício comprido feito de barro e coberto de palha.

– Quem terá construído aqui no mato um celeiro tão distante de qualquer fazenda? – indaguei, espantada.

– Isso é a igreja! – disse Mr. Quimby sorrindo e nesse mesmo momento tomou por um atalho, ao lado da casa.

Minha impressão foi quase de assombro: uma igreja, aquele paiol com paredes de barro esburacadas, telhado de palha e aberturas sem esquadrias que nem de longe se pareciam com janelas? Mas minha dúvida não durou muito tempo: nossos companheiros chegavam; os homens, descendo dos cavalos, ajudavam-nos a apear dos nossos e depois prendiam os animais às árvores mais próximas do edifício. Nesse instante, avistei outros cavalos e mulas com seus cavaleiros e cavaleiras; algumas senhoras já se achavam sentadas à sombra; daqui e dali, outras se dirigiam para a igreja ou se aproximavam para cumprimentar Mr. Quimby e sua família. "*How do you do?*", ouvia-se de todos os lados, entremeados com o "*How d'ye?*" dos estados do Sul. Trocaram-se depois as novidades, falando-se sobre todos os acontecimentos dessa região solitária, desde o último terceiro domingo do outro mês. Um gole d'água na fonte mais próxima nos refrescou e nos reanimou um pouco. Entramos na igreja depois de ter limpado os sapatos com uma vassoura colocada à entrada para esse fim; por alguns momentos, gozamos agradecidos daquele silêncio e da frescura, enquanto pouco a pouco ali se reuniam cinquenta a sessenta pessoas, todos, sem exceção, norte-americanos vindos de suas fazendas ou da colônia Santa Bárbara.

Através de um grande buraco da parede de taipas, observava a cena lá fora, cada vez mais movimentada com a chegada de outras pessoas, os cavalos e mulas pastando sobre o capim, tendo como fundo as saias de montaria de variadas cores, que as senhoras tinham deixado penduradas nas árvores. Pensava que nunca me vira sentada numa igreja como esta, enquanto atrás de mim uma jovem mamãe inutilmente tentava acalmar o berreiro de seu último rebento, que naturalmente não estava gostando do passeio. Logo depois, veio sentar-se ao meu lado uma velhinha de cabelos alvos que eu já tinha observado através da minha parede quando ela chegara trotando alegremente na sua mula.

Em seguida, o pastor apareceu e o serviço divino começou. Um homem ainda moço e sem batina ou outra qualquer insígnia religiosa dirigiu-se para o altar de madeira (não havia púlpito) e apenas com o Novo Testamento na mão fez uma prédica linda e bem argumentada sobre a resposta de Cristo à pergunta do Batista: "Eras tu que devias chegar, ou devemos esperar outro?" Grete, era de converter qualquer pessoa! Para nós, gente civilizada, era profundamente emocionante escutar as palavras da Bíblia que nos acostumáramos a associar às aulas de catecismo e aos lugares santificados de nossas igrejas, evocando-as inconscientemente dentro daquele ambiente, repetidas aqui, nessa cabana de barro, neste cenário tropical tão despido de exterioridades e de ornamentações sacras. Mas elas soavam como em nossa terra, nem mais nem menos graves e solenes do que nas suntuosas catedrais, sob colunas altaneiras e estandartes coloridos. Havia muito tempo que não entrava numa igreja, mas duvido que a missa mais brilhante na Basílica de São Pedro conseguisse despertar em nós a emoção desse serviço evangélico, numa cabana de taipas num ponto perdido do sertão brasileiro. A sensação da onipotente presença do Deus cristão e a prédica "Deus não mora nos templos construídos por mãos humanas", na sua impressionante grandeza, se impôs a todos nós e talvez até mesmo a outros que não esperavam deixar-se dominar por essa emoção.

O calor sufocante havia abrandado e começou a soprar um vento leve; de repente, pela fresta da parede vi caírem grandes e espaçados pingos de chuva. Ai! as selas! A chuva aumentou logo e diante disso, não houve outro remédio senão o de recolhê-las com as saias para montar, abrigando-as na igreja, para evitar contrariedades durante a nossa volta. Perto de sessenta selas e umas trinta roupas de montaria foram colocadas a um canto da nave, e não pude deixar de sorrir ao pensar comigo mesma, o que não diriam numa capela, ou numa igreja europeia, sobre esse fato que parecia, aqui, tão natural.

A chuva cessou tão rapidamente como começara, e quando o serviço divino terminou e nós nos despedimos uns dos outros por um mês, as selas já podiam voltar aos seus lugares.

Ao retomar o caminho, sentíamos muito melhor disposição naquele ar fresco e sem poeira. À noite, Mr. Quimby e sua cunhada trouxeram-me até São Sebastião, prometendo vir buscar-me muito em breve.

Agora, aqui na porta está a velha e gorda Ana me chamando: "Chá, senhora!" Faço ponto final.

Escreva logo à sua elegante amazona,

Ulla

São Sebastião, 5 de agosto de 1882

Grete do coração,

Esta carta vai sair um pouco confusa, porque escrevo ouvindo o alarido de 37 cães! Desde ontem, temos por aqui uma caçada com batedores e o Sr. de Sousa convidou para ela seis senhores, trazendo cada um dois cavalos e quantos cachorros possuem. As caçadas desse gênero são tanto mais bonitas quanto maior é a matilha. Ontem pude vê-los quando passaram em disparada no alto do morro perseguindo um cervo; era um belo espetáculo, pois esse sistema de caçar é muito apropriado ao país. Não se aproveitam as presas – dois animais abatidos estão pendurados desde ontem à parede da sala dos arreios. Indagando de D. Maria Luísa quando iriam servi-los à mesa, ela respondeu-me risonha: "Os veados não são alimento para gente. Só servem para os cachorros." Ia protestar, mas lembrei-me ainda em tempo que, de fato, o Sr. Schaumann me falara certa vez sobre a caça grossa daqui, contando-me que tem uma catinga penetrante demais, não podendo ser servida à mesa por causa disso. Assim, continuamos muito satisfeitos a comer nossa carne de porco, reconhecendo que D. Maria

Luísa faz o possível para variar a comida. Já consumimos diversas qualidades de bichos e até tatu uma vez, que é muito saboroso, tendo alguma semelhança com a carne de vitela ou de frango. A couraça desse habitante dos trópicos está exposta no meu quarto à guisa de peça decorativa; logo que é retirada é muito maleável, podendo-se dar a forma que se quer e que se mantém depois de seca. Aliás, estou colecionando todas as curiosidades que posso encontrar, apesar de ser uma coisa bem mais difícil do que se julga em nossa terra. Imaginávamos que as flechas dos índios e outros objetos exóticos eram encontrados pelos caminhos e agora verifico que todas essas coisas não são obtidas tão facilmente. Contento-me portanto com o *naturalien cabinet** da minha própria coleção. Os pretos trazem-me tudo o que conseguem achar de mais interessante lá por fora e se mostram radiantes quando me declaro satisfeita. Entre eles, sou conhecida como a "professora que gosta de bichos feios" e quase todos os dias acho sobre o peitoril de minha janela um besouro, uma taturana ou uma planta rara. Já possuo "em conserva" uma serpente, que por sinal é uma linda cobra-coral. Minha especialidade é, porém, uma encantadora coleção de ninhos, da qual fazem parte alguns adoráveis, de beija-flor, e outros de diversos gêneros. O mais original de todos, muito estranho mesmo, é bastante grande e feito de barro por um pássaro conhecido pelo nome de "João de Barro", devido à sua moradia. Esse ninho de barro é pouco maior que um crânio humano e tem uma entrada lateral feita de maneira tão engenhosa que a chuva não pode

---

* "Gabinete natural", "gabinete de curiosidades".

penetrar até o interior, onde se encontra um verdadeiro e macio ninho. Minha última aquisição é uma pele de lontra e uma de macaco preto que um dos camaradas da fazenda matou outro dia; ontem Maricota, sempre atenciosa e boa, deu-me de presente uma série de 21 qualidades de madeira que ela mandou escolher e cortar em graciosos pedaços do mesmo tamanho. Do ponto de vista dos nossos países, o que se faz aqui em São Sebastião com as madeiras é um verdadeiro esbanjamento; assim, minha cômoda tosca e mal-acabada é toda de cedro, como os móveis rústicos da sala de aula, que também são fabricados com material precioso. Mais um exemplo dos muitos desequilíbrios que existem neste país: esbanjamento de um lado, penúria do outro...

À noite: Gretele! Estou fora de mim de tanta alegria, pois Maricota veio interromper-me para me dar a deliciosa notícia de que daqui a oito dias iremos tomar banhos de mar, durante cinco a seis semanas! Vou rever brevemente a minha querida São Paulo! Iremos primeiro para lá, onde ficaremos de um a dois dias em casa dos pais de D. Maria Luísa, e de lá viajaremos pela serra até Santos, o grande porto do café, na Província de São Paulo. Em Santos, moraremos numa casa que pertence a toda a família e que é ocupada sempre pelos que precisam dela para os banhos de mar; fica situada na "Barra", isto é, na praia, fora da cidade e perto da baía.

Adieu, adieu, tenho que escrever já a Fräulein Meyer que também se encontra em Santos acompanhando uma família.

Ela vai ficar contente por ter companhia.

Sua Ulla, feliz

Santos, 20 de agosto de 1882

Minha querida e boa Grete,

Asseguro-lhe que esta casa é imensamente poética – desculpe, primeiro vou espantar uma vespa –, então, como ia dizendo, um puro idílio! Lá fora rumorejam e quebram-se as ondas – caramba! Hoje já é a quinta aranha do tamanho de minha mão! – e o sol brilha radioso – de novo uma mosca no tinteiro? –, brilha, fazendo-as cintilar como se fossem de prata. O jardim está meio abandonado mas por isso mesmo é mais român... – vejo neste instante que as baratas já começaram a devorar minha pasta nova de escrever! – romântico. Acho um encanto quando vemos ao longe os navios entrando – oh! Este mosquito! Desculpe-me o borrão –, e os binóculos existentes surgem no mesmo momento para podermos determinar a sua nacionalidade – ai! Pobre de mim, a mesa em que estou escrevendo vai sendo invadida pelas formigas! Também, por que havia de deixar aqui o açucareiro? Agora, vou fazer um intervalo para caçá-las.

Mais tarde: Você vê, minha Grete, como a poesia está crivada de dificuldades e como um idílio aqui é perturbado todo o tempo? Esta "chácara" – esse é o nome das propriedades meio estilo vila, meio casa de campo –, sem nenhuma dúvida, era antigamente destinada à habitação; mas parece que aqui se instalaram, confortavelmente e há muito tempo, as baratas, aranhas, lagartixas e formigas sem serem incomodadas, de modo que não se pode agora condenar suas intenções contrárias às nossas, não desejando ceder-nos sem luta seus incontestáveis domínios.

Na primeira noite que passei aqui, não fiz outra coisa senão lutar contra os insetos; mas, desde que resolvi empregar todas as minhas horas vagas em meditar sobre a melhor maneira de me defender, fui aos poucos ganhando terreno, sob o ponto de vista humano, em relação a esses seres invasores! Minha cama foi colocada no meio do quarto e também não deixei nenhum móvel encostado à parede: abandonei-as aos bichinhos. Entre os móveis, conto o lavatório, uma mesa, uma cadeira e minha mala. Esta última serve de cômoda e é onde guardo todos os meus pertences, excetuando os vestidos. Depois de pregar na parede uma vasta cortina velha, juntei-os todos ali, pitorescamente, cobrindo-os com um lençol. Antes de vesti-los tomo porém minhas precauções, como se faz com os remédios que trazem na etiqueta "Agite antes de usar", e uma quantidade de minúsculos insetos amontoa-se no chão, demonstrando o acerto de meu procedimento. Em relação ao meu lavatório, desde que o afastei da parede, tenho tido ao menos a satisfação de usar meu sabonete sozinha, sem vir encontrá-lo pela metade, roído pelas baratas que parecem considerá-lo um petisco especial. A maior preocupação que tive foi a de colocar minha cama nas melhores condições possíveis para poder livrar-me dos bichos. Na primeira noite, ficou encostada à parede para grande regozijo das aranhas domésticas, das baratas, lagartixas e formigas. Na segunda noite, deixei apenas a cabeceira junto à parede, mas isso não deu o resultado esperado em relação aos mencionados habitantes, no sentido de restringir-lhes o campo de ação. Assim, na terceira noite empurrei a cama para o meio do quarto, lugar mais arejado, onde, além do mais, a gente goza da vantagem de aprender a ganhar equilíbrio durante o sono, pois a primeira vez que dormi naquele espaço livre, não contando naturalmente com nenhuma parede lateral, caí ao chão, matando dessa forma algumas baratas. Nessa mesma ocasião, descobri que esses agradáveis bichinhos denotam especial predileção pela face da caixa de fósforos onde os riscamos, obrigando-nos a ficar em completa escuridão, mesmo tendo a caixa cheia; afasto a cadeira de minha cama, coloco a vela no chão à distância de um braço e escondo os fósforos, o relógio e o lenço, dissimuladamente, embaixo do travesseiro, sobre o qual – sendo ele do tamanho usado pelos brasileiros – dorme-se muito mal-acomodada. Restava ainda decidir a questão das formigas: mas essa também foi resolvida a contento, imitando o que vi outro dia numa mesa de estação da estrada de ferro: coloquei os quatro pés da cama dentro de latas com água, de modo que agora – viva! – esses insetos tiveram de limitar seus ataques contra mim, reduzindo-os apenas aos que conseguem realizá-los do teto.

Aliás, esses curiosos habitantes de nossa chácara são muito úteis porque nos proporcionam divertimento constante. Pela manhã, o açucareiro tem de ser retirado e defumado para afugentar as formigas, enquanto Maricota e eu vamos pescando-as no leite; durante o almoço estamos tão habituados a ver moscas na beirada dos pratos que já não acho graça numa refeição sem esse enfeite; à noite, quando as baratas despertam, é a hora da maior diversão! Maricota e eu ficamos geralmente no meu quarto lendo Dickens, e pegado, na sala de jantar, D. Maria Luísa, sua irmã e o Sr. de Sousa jogam *whist* com um "morto". De repente, escuta-se um ruído infernal, gritos e todos os chinelos voam imediatamente; nós também agarramos os sapatos sempre de prontidão e os atiramos contra a porta, porque, através de uma fresta da largura de um palmo, os insetos perseguidos pelos jogadores de *whist* vêm voando em direção a nós, "pickwickianas", encontrando quase sempre aqui o seu fim, já que em matéria de matança de baratas estou formada desde o colégio.

O dístico de nossa bandeira é: vida na e com a natureza. De manhã, lá pelas cinco horas, quando a lua ainda está careteando para o sol, todos os habitantes de nossa casa atiram-se às ondas. Homens e mulheres, pretos e brancos, o bando todo corre em trajes de banho feitos de flanela e atravessa o jardim em direção à praia, entrando n'água e refrescando-se à luz do luar, na mais completa harmonia, mas tão infernalmente barulhentos que durante o dia inteiro me sinto atordoada. Como os banhos de mar não me fazem muito bem, abandonei-os depois dos cinco primeiros e agora banho-me conforme meu antigo hábito nas bacias de latão, grandes e arredondadas, que as pretas carregam sobre a cabeça até cá dentro.

Passamos nossos serões da maneira mais inocente. Nossa chácara fica situada em lugar ermo, tendo um grande jardim ao lado e do outro, confinada com outra chácara desabitada; do lado da praia não é fechada. À noite, com auxílio de duas cadeiras colocadas sobre uma mesa, construímos uma barricada diante da porta de vidro e confiamos o resto a Deus. Como conheço bastante seus gostos, creio que a você adoraria esta maneira "idílica" de se viver na praia.

As aulas continuam como de costume, somente que, para grande tristeza da família e meu pleno contentamento, as lições de piano tiveram de ser interrompidas. Exatamente por isso, considero esta estação de banhos como viagem de recreio.

Mas ainda não contei o que se passou em São Paulo. Lá estivemos dois dias, hospedados em casa dos avós de Maricota. Na primeira tarde fui visitar os Schaumann e no segundo dia estive nas casa de Fräulein Harras e de Fräulein Meyer, que infelizmente já tinha voltado de Santos com a família. Na terceira manhã descemos até cá, fazendo o impressionante trajeto da serra por meio do funicular. Imagine quem vinha também para baixo? Mr. Hall! Sentou-se ao meu lado no *coupé* e me contou que seguia para Santos porque tinha sido avisado da chegada de uma encomenda de máquinas vindas da Inglaterra, que só ele podia retirar da alfândega. Depois disso, não o vi mais; creio, porém, Grete, que estávamos ambos encantados por terem essas boas máquinas chegado justamente neste momento!

Ach! Grete! Estou tão contente!

E o Brasil até que é bem bonito.

Em breve, mais notícias

da sua Ulla

Santos, 22 de setembro de 1882

Grete do coração,

Nossa idílica estada na praia aproxima-se do fim, e antes de oito dias os 32 volumes de bagagem que trouxemos serão reempacotados e despachados para São Sebastião. Lamento de coração que isso se dê, porque estava tão acostumada com esta chácara que já lhe queria bem, apesar de suas instalações serem mais apropriadas para um entomologista que para os outros simples mortais. Não vamos indagar se a parte antimusical de nossa estação terá influído beneficamente sobre mim e fechemos os olhos sobre esse assunto. Para substituir as lições de piano, passei a lecionar durante a temporada de banhos ao filho único de D. Lídia, irmã de D. Maria Luísa. Ela é viúva e não tem para ele uma professora especial; confia porém esse filho, Luís Guilherme, a uma de suas inúmeras irmãs, em São Paulo, como hóspede-estudante; todas as outras professoras dessa família o conhecem e diziam "apreciar" sua aplicação; de forma que não fiquei muito satisfeita quando me pediram para admiti-lo nas aulas de Maricota, pois tinha grande receio de ver ali reproduzida uma segunda edição das "antiguidades clássicas" de São Paulo! Mas, veja você, ele mostrou-se muito educado, um rapaz de 13 anos até bastante amável e inteligente. Durante os passeios, já sabe portar-se como um cavalheiro e até agora não percebi nenhuma extravagância a não ser a de sustentar com convicção que sofre de "gota" nos pés. Sou a 14ª professora que conheceu até agora, durante sua acidentada vida escolar. E você há de concordar em que há motivo para me sentir orgulhosa, tendo ele declarado à sua mãe, noutro dia, que sou a mais ajuizada de todas, não se lhe podendo negar uma completa capacidade para julgar essa questão.

Luís Guilherme é o meu principal fornecedor de conchas. Minha coleção está num quartinho pegado ao meu e já passou a constituir séria ameaça à saúde pública, pois do peitoril de minha janela constantemente se desprendem as mais penetrantes fragrâncias de algas marinhas e conchas em putrefação. É para mim um verdadeiro martírio, mas verifiquei aqui o seguinte: quando se é vítima da mania colecionadora nada mais se respeita, nem mesmo o próprio nariz.

Hoje, o Sr. de Sousa vai voltar da fazenda onde foi verificar se tudo corria bem. Durante a sua ausência não estivemos aqui muito tranquilos, porque houve há alguns dias, ou melhor, algumas noites antes de sua partida, o arrombamento de uma casa, perto da nossa. No dia de embarcar, durante o café da manhã, entregou-me um grande revólver, declarando que, entre todo o elemento feminino, ainda era eu a mais corajosa e por isso depunha em minhas mãos a defesa da praça. Devo confessar que pela primeira vez me via às voltas com um revólver ou qualquer instrumento assassino mas, heroicamente, assumi minha posição de sentinela na defesa da chácara e para maior segurança – minha também – procurei inteirar-me sobre o assunto, com um senhor alemão da vizinhança. Desde então, lá está a arma ameaçadora na minha parede, ao lado dos meus vestidos e saias de chita, inspirando tanto receio que o primeiro resultado foi o de aterrorizar uma preta que não quis mais arrumar meu quarto. Outra precaução foi a das senhoras saírem todas a passeio na praia com os seus piores vestidos, sem nenhuma joia, demonstrando aos ladrões que nada possuíamos que valesse a pena ser roubado – medida essa altamente convincente para eles! Para completar, apurava-se à noite a construção das barricadas. Juntava-se à mesa e às cadeiras mais um sofá de vime, sobre ele amontoavam-se sem grande estabilidade algumas gavetas vazias (sugestão minha) que coroavam a obra, cujo levantamento sempre nos inspirou a todas nós uma profunda confiança. Hoje, voltaremos à barricada número 1 e deporei novamente a segurança da praça nas mãos do Sr. de Sousa.

Trará ele de São Sebastião alguma carta da minha Grete? Adeus, meu coraçãozinho; as luzes já se acenderam; Dickens readquire seus direitos, e a hora das baratas se avizinha...

Sua Ulla

São Sebastião, 4 de outubro de 1882

Minha boa Grete,

Estamos de novo em São Sebastião, esperando o calor e a colheita da cana, com bastante saudade desta última e muito pouca do outro.

Nossa partida da boa, suja e velha chácara e o adeus aos insetos nos foram penosos, apesar de tudo; todos nós, com exceção de D. Maria Luísa e do Sr. de Sousa, procurávamos consolar-nos: as crianças pensando no período "açucarado" e eu no alegre Lazo, meu cavalo predileto que montava sempre e com o qual o Sr. de Sousa me prometera, sorrindo, um encontro, já na estação. Na verdade, o meu maior prazer aqui é montar a cavalo; essa é mesmo minha única distração; e quando a solidão me pesa demais, consolo-me com facilidade dando um lindo passeio a cavalo.

Experimentamos um verdadeiro encantamento, uma sensação quase embriagadora da opulência dos trópicos, quando vagarosos e mudos vamos margeando a floresta na hora do entardecer, aspirando o perfume voluptuoso das parasitas, que às vezes nos acompanha durante alguns minutos, quando estão floridas, modestas e lindas, nos velhos troncos do fundo do mato. Outras vezes, são bandos de grandes borboletas azuis, brilhando na claridade do sol, voando tão baixo que chegam a tocar na cabeça dos nossos animais.

Saímos também a pé frequentemente e nessas ocasiões procuro enriquecer a minha coleção de *naturalias*. Noutro dia, encontrei diversos caramujos vazios de lesmas gigantes; poderia possuir já uma completa coleção de cobras, se quisesse guardar todas as que são mortas aqui. Faz alguns dias que eu mesma matei com meu guarda-chuva um dos menores exemplares dessas malvadas, e a pajem, quando sai com as crianças, certas vezes aparece depois trazendo morto, para mim, um desses repugnantes répteis; já fizemos até uma vala comum para eles. Logo no começo fui obrigada a abandonar minha coleção de besouros, porque não podia mais aguentar aquela matança, Grete. Quando os julgava liquidados pelo clorofórmio que lhes dava, punha-os ao sol, no peitoril da janela para secar; uma hora depois, eles reviviam, arrastando-se vagarosamente! Isso me enchia de pena, pois meu sangue-frio parece existir somente em relação às baratas e cobras. As primeiras, graças a Deus, quase não existem nesta fazenda situada no alto e onde o papel do inseto é dos menos importantes. O que mais nos faz sofrer é a grande umidade atmosférica agora reinante, cuja época recomeça no verão, com chuvas e trovoadas quase diárias. De tempos em tempos, serei obrigada a transformar meu quarto em belchior, se não quiser que tudo se cubra de mofo. Aliás, já descobri um excelente recurso contra as manchas de mofo nas luvas: guardá-las dentro de uma caixa com sulfato de amoníaco, tendo-se o cuidado de proteger os botões, senão tornam-se opacos.

Hoje minha carta não pode progredir, Grete querida, porque, num espaço livre que fica diante de minha janela, seis negros, sendo três de um lado e três de outro, com longas varas de bambu, estão batendo o feijão-preto para debulhá-lo. Esse ruído ritmado e monótono já dura desde as sete horas da manhã e nos perturbou durante todo o tempo das aulas. As canções típicas dos nossos debulhadores são aqui substituídas por qualquer frase tola mas cadenciada que o primeiro debulhador invente ou fale; os outros acompanham-no, servindo-se desse ritmo durante todo o tempo do trabalho. "Que bom, chá, que bom!", espirituosa invenção do Cesário, auxiliou-os a bater as hastes de feijão-preto. Posso afirmar, sem mentir, que ouvi gabar umas mil vezes esse chá imaginário. Aliás, aqui não bebo mais chá chinês, porque me causa insônia; mas, a conselho de D. Maria Luísa, tomo em seu lugar chá de alface, que no começo me desagradava, mas com o qual me habituei, porque exerce de fato uma ação calmante.

O que não daria por uma garrafinha de cerveja, aqui, à noite! Mas isso é impossível de se obter nas fazendas; nos portos custam já um mil-réis, quer dizer dois marcos a garrafa! A respeito de bebidas, estamos em má situação no Brasil! Ao almoço, os brasileiros costumam tomar um cálice de vinho do Porto, como nós usamos bebê-lo na nossa primeira refeição da manhã, mas é de qualidade tão secundária que em nossa casa o rejeitaríamos. Além do mais, não é vinho para se beber em maior quantidade, como vinhos de mesa. A água da fazenda não é boa, amanhece às vezes amarelada e barrenta. Somente por *courtoisie* bebo o vinho tinto de Lisboa que o Sr. de Sousa mandou vir para mim, de São Paulo. Os brasileiros não são entendidos em vinhos e geralmente quase não bebem, a não ser água e café, dos quais absorvem quantidades incríveis!

O primeiro copo de Bowle que tomar depois de receber esta lamentação, faça-o pensando em mim e nunca mais condene um estudante, quando ele cantar: *"Ein Burseh wie ich, sauft ganze Fässer aus, Fässer aus."** – porque talvez ele pretenda vir ao Brasil e já esteja bebendo de antemão, no que acho que faz muito bem. Termino com esta enérgica e audaciosa declaração.

Sua Ulla

---

* "Um rapaz beberrão como eu ingere quartolas inteiras."

São Sebastião, 21 de outubro de 1882

Minha doce Grete,

Desejo contar-lhe hoje por extenso um fato que se passou comigo, esperando que não lhe pareça desagradável demais, por tratar-se de um leproso. Esses acontecimentos impressionaram-me muito, fazendo-me recordar o emocionante conto de Xavier de Maistre, "Le Lépreux d'Aoste"; por esse motivo faço questão de narrá-los.

Passou-se há bastante tempo, antes de nossa viagem a Santos, quando ao escurecer me dirigia com as crianças, vagarosamente, ao encontro do preto que vai a cavalo buscar na estação a correspondência da fazenda.

– Lá vem ele! – exclamei alegremente, vislumbrando ao lusco-fusco alguém que se mexia um pouco à nossa frente.

– Ah! Não é um cavaleiro – disse rindo Albertina, uma das meninas –; esse é o Inácio.

– Quem é Inácio?

– Pois é o Inácio, não sabe?

– Um preto da fazenda?

– É, mas não trabalha porque está doente.

– Qual é sua doença?

– Não sei; tem um buraco na sola do pé, um na mão também e não querem sarar.

Você sabe, Grete do coração, como sempre demonstrei uma aversão doentia pelas moléstias da pele. Desviei-me então um pouco para o lado quando ele se aproximou de nós.

Um grande vulto, sem aparência alguma de fraqueza, parou quando passamos e murmurou sorrindo, com o chapéu na mão: "*Sos kiss*" – repetindo-o ainda depois de termos seguido, em resposta ao amável "boa noite, Inácio", "como vai, Inácio?" das crianças. – Obrigado, obrigado, senhora; boa noite, minha patroazinha. Louvado seja Nosso Senhor Jesus Cristo!

A roupa horrivelmente suja e esfarrapada, a carapinha desgrenhada, a barba emaranhada e comprida demais para um negro, davam a esse homem que se arrastava penosamente apoiado em seu bastão, um aspecto tão repelente que minha aversão sobrepujou de muito minha piedade e as meninas não foram injustas quando, ao chegar à casa, anunciaram rindo-se: "Mademoiselle teve medo do Inácio."

Em vez de procurar defender-me, perguntei de novo: "Que tem ele?"*

– Quem sabe?– disse D. Maria Luísa. – Tem marcas e feridas pelo corpo todo, contra as quais nenhum resultado deram as ervas e plantas mais indicadas; agora estamos quase certos de que ele está morfético.

Isso foi dito tão simplesmente como se falasse de alguém que estivesse resfriado. Grete: senti um arrepio e uma pro-

---

* Em português, no original.

funda compaixão por esse infeliz que o destino não poderia ter deserdado mais completamente: negro – escravo – leproso! Imaginar que nada pior poderia ainda atingi-lo foi quase um alívio para mim. Que pensara ele lá consigo mesmo, a respeito de tudo isso? Pediria socorro se caísse n'água? Terá ódio de nós porque somos sadios? Quebrei a cabeça o dia inteiro cismando sobre o desgraçado pária, marcado pela sorte, e sua imagem me atormentou até durante o sono.

Logo depois contaram-me que o Inácio tinha sido afastado das proximidades da fazenda e estava proibido de manter qualquer contato com os outros pretos para não contaminá-los com seu horrível mal.

Como o homem é egoísta e miserável! Meu primeiro impulso incontrolável foi de desafogo, por me ver livre daquela figura de leproso manco e desgrenhado. Só depois pensei na sua desgraça, mas procurei esquecê-la.

Poucos dias mais tarde, saí para meu costumeiro passeio matinal e, dominada pela impressão de minha força e de minha boa saúde, lancei um *Lied** alemão à paisagem brasileira.

De repente, minha voz estrangulou-se na garganta – lá vinha o leproso, mancando, em minha direção.

Obedecendo a um impulso fulminante, retrocedi bruscamente, e a passos largos retomei o caminho de volta; ao recuperar a razão, pensei:

"Honrado seja o homem, generoso e bom",** mas quando isso me ocorreu, nem ousava aprofundar esse nosso lema

---

* "Canção."
** Trecho do poema "O divino" ("Das goettliche"), de Goethe (traduzido por Paulo Quintela).

predileto. Como me envergonhava da minha pressa insultuosa! Uma voz procurava desculpar-me: a aparição tinha sido súbita demais e estava tão longe de minhas ideias a lembrança do preto alquebrado... Mas de novo: não, não, não adiantava, porque me sentia enrubescida de vergonha!

Na manhã seguinte saí, à mesma hora e pelo mesmo caminho, como no dia anterior. Essa foi a minha penitência. No mesmo lugar encontrei o leproso. Estava de cabeça descoberta ao vento da manhã; suas roupas esfarrapadas pendiam do seu grande corpo e seus pés engrossados pelas ataduras denunciavam o seu mal. Senti um calafrio, mas, num esforço, continuei a caminhar; quando já nos encontrávamos a uns passos de distância um do outro, o preto desviou-se entrando no matagal cerrado, depois de me fazer a saudação: "Louvado seja Nosso Senhor Jesus Cristo!" Ao lembrar a minha fuga da véspera senti o rosto afogueado de vergonha – como tinha podido ser tão infinitamente mesquinha! Pensaria ele assim também? Desejava que não se tivesse desviado tão cuidadosamente de mim.

Na minha volta não o vi mais; mas, desde então, o leproso assumiu papel preponderante na minha vida interior. Atormentava-me, sem conseguir esquecê-lo, acusando-me de crueldade, sentindo-me ora desprezível por causa dos meus receios, ora exagerada e excêntrica naquela luta contra uma justa aversão que todo mundo demonstrava francamente e que talvez o próprio infeliz que a inspirava compreendesse e perdoasse. Por que eu, somente eu, deveria vencer-me a mim mesma, ante essa criatura humana que todos evitavam?

Mas não achava uma solução para meu debate mental e na manhã seguinte lá me encontrava de novo no mesmo caminho. Como das outras vezes, deparei com o leproso. Assim que me viu, embrenhou-se no mato, mas percebi que usava roupas mais limpas e até um chapéu, que levantou imediatamente quando me disse muito animado e por duas vezes o seu "*Sos kiss, sos kiss*". Pareceu-me que aquela troca de saudações matinais, com pessoa mais feliz do que ele, representava um grande consolo para o pobre preto banido. E dentro de mim, a luta cessou: decidi que aquela compensação nunca mais lhe haveria de faltar.

Como na manhã seguinte saí mais cedo do que de costume, fui encontrar o Inácio sozinho, perto de uma pequena cabana de barro e bambu, situada entre as samambaias e a mata. Quando ele me viu, estacou.

– Esta é a sua cabana, Inácio? – indaguei.

– Sim, senhora – respondeu com expressão radiante.

– E aonde vai todas as manhãs?

– Buscar água para o café, senhora.

Depois de não sei quantos dias ou semanas, seriam essas, talvez, suas únicas palavras!

Então, todas as manhãs ia levar àquele desgraçado uma saudação do mundo dos humanos, sentindo-me plenamente recompensada quando via a distância o seu olhar, brilhando entre as giestas, naquele trecho do atalho que pouco a pouco se foi transformando em verdadeiro caminho. Mas esses passeios matinais, que representavam para mim a melhor parte do dia, já não me pareciam tão agradáveis; sentia-me contrafeita ao sair e nunca mais pude cantar, nem recuperar minha sensação de intenso júbilo.

Depois veio a temporada em Santos e a lembrança do leproso foi para o segundo plano. Mas logo após a nossa volta, fui obrigada a evocá-lo de novo. Vendo, certo dia, D. Maria Luísa encher vários cartuchos com café, açúcar, arroz e feijão-preto, perguntei:

– Para quem é isso?

– Os leprosos chegaram.

– Inácio?

– Não, os leprosos de Santa Bárbara; grande número desses doentes formam lá pela vizinhança uma espécie de colônia e, para não contaminar os outros entrando nas vendas ou através do dinheiro, eles mendigam seu sustento. Assim, os doentes sem recursos acham-se em melhor situação do que se permanecessem exilados e completamente sós. Em geral, quem tem escravos leprosos manda-os para lá, onde não sofrem necessidades, pois tudo recebem em abundância.

– Por que não permite que o Inácio vá juntar-se a eles?

– Diversas vezes já lhe propusemos isso, mas ele não quer ir porque tem uma filha aqui na fazenda.

É horrivelmente triste e comovente pensar nesse agrupamento de párias, isolados do resto do mundo pela desgraça comum, irmanados pelo sofrimento e auxiliando-se mutuamente como samaritanos atingidos pela mesma maldição.

Quando olhei para aquele grupo de doentes que retomavam seu caminho, seu grato "louvado seja Nosso Senhor Jesus Cristo", cortou-me o coração.

No dia seguinte não encontrei o Inácio e supus que ele tivesse seguido seus companheiros até a metade do caminho. Mas quando na outra manhã perceberam sua ausência na distribuição das rações, por não o verem no seu posto habitual atrás da cerca, mandaram um preto velho saber notícias suas. Se a incumbência já era bem desagradável, a notícia então foi desapiedada. Inácio alegava estar doente, mas não sabia indicar onde se sentia mal; julgaram-no, por causa disso, um preguiçoso que não deseja nem mesmo dar-se ao trabalho de cozinhar. Fiquei admirada e ao mesmo tempo chocada por ver com que facilidade esse ponto de vista era adotado e comecei a procurar um meio de acudi-lo se isso se prolongasse.

Mas encontrei o leproso no meu passeio da manhã seguinte: parecia sujo e relaxado, sua expressão de tristeza e sua saudação desalentada inspiraram-me imenso dó.

Nesse mesmo dia começou a cair uma chuva fortíssima cuja violência e duração impediram-me de sair. Durante todo esse tempo pensei no Inácio, imaginando se possuiria alimentos suficientes e lenha seca em sua cabana; faltou de novo à distribuição das rações e todas as vezes em que, durante o dia, olhei na direção de sua choça, não vi subir nenhuma nuvenzinha de fumaça. Grete, então, entrei em luta comigo mesma para tomar uma dura decisão: era preciso que eu entrasse na cabana do leproso! Só em pensar nisso, sentia-me transida de horror. Mas... "honrado seja o homem, bom e generoso", advertia-me uma voz dentro de mim; que tinha eu feito até aquele momento para auxiliar o infeliz? Qual tinha sido meu ato de samaritana? Corava pensando no pouco que tivera de vencer, e mais ainda, pois o receio da infecção não fora em mim tão grande quanto o nojo demonstrado. Diante de tudo isso achava que era minha obrigação dominar-me, porque se não realizasse ao menos essa única boa ação, não teria feito nada por ele. O debate foi tão duro e a luta tão amarga lá dentro de mim, que cheguei a ficar febril. Em certo momento rejeitei aquela ideia de entrar na cabana do doente, taxando-a de loucura sem explicação, e zombei do meu suposto dever de samaritana, num lugar onde o sacerdote e o levita podem chegar. Que seus donos se ocupassem dele; que tinha eu com isso? Logo depois, sentia-me horrorizada com minha indiferença e tinha a impressão de que a Providência me pusera especialmente no caminho daquele desgraçado para socorrê-lo, pecando eu mais que os outros, se o deixasse abandonado ao seu destino.

Afinal, decidi entrar na cabana do leproso; mas Grete – confesso –, na véspera, guardava uma profunda e selvagem esperança de morrer durante aquela noite.

De manhã cedo, bateram à porta de casa.

Um dos lenhadores que vinham da colônia mais próxima avisou que, passando pela cabana do Inácio, ouvira gemidos abafados, mas sentira pavor de entrar lá; o pobre-diabo devia estar muito mal. Mandaram então um preto para vê-lo e providenciar tonificantes. Comecei minhas aulas, mas quase não podia dominar minha ansiedade. Justamente no intervalo para o recreio o mensageiro voltou: tinha-o encontrado morto!

Um grito de alívio me escapa do humano peito e, envergonhada, precisei reconhecer: *homo sum*... Depois, uma forte crise de choro distendeu meus nervos e pude desejar sem nenhuma intenção egoísta a paz eterna ao desgraçado pária. Para tanto não encontrei porém palavras mais apropriadas do que as que ouvira de sua própria boca, as últimas que pronunciou talvez. – "Louvado seja Nosso Senhor Jesus Cristo!"

Um velho carro de boi quase imprestável foi atrelado e o morto conduzido dentro de uma rede à sua última morada, acompanhado por dois pretos. Ao escurecer, chegaram à vila e pararam diante de casa do padre para pedir sepultura numa das covas sempre prontas. Um enterro àquela hora, e além disso, de um preto escravo e leproso – atrevimento sem par! Asperamente responderam-lhe que esperassem até a manhã seguinte. "Não pode ser, não, senhor! Precisamos voltar. E onde iríamos passar a noite?" – resmungaram os pretos. Que lhes fosse ao menos permitido deixar o cadáver no cemitério. Isso também lhes foi negado grosseiramente, até que aquela gente revoltada ameaçou abandonar o corpo do leproso na soleira da porta do padre cristão. Então, este mandou chamar os leprosos da colônia para velar o morto durante a noite, diante do portão do cemitério. Seus irmãos de infortúnio vieram silenciosos e esses párias humanos ali permaneceram com o companheiro de miséria, que até depois de morto era enxotado do convívio dos outros mortais.

Lembro-me de que nessa noite o cruzeiro refulgia no céu. Agora, porém, sempre que olhar para o santo signo serei obrigada a refletir: por que estará ele iluminando esta terra?

Hoje não quero acrescentar mais nada.

São Sebastião, 17 de novembro de 1882

O que hoje nos aconteceu, a mim e às crianças, assemelha-se ao caso do Cavaleiro de Bodensee: levamos um susto terrível depois de passado o perigo. Tentados pela beleza do tempo, espichamos demais nosso passeio habitual, chegando até uma grande plantação de cana; ali notamos que no espaço formado por uma quadra, ela tinha sido cortada ainda verde. Estranhamos muito essa colheita fora de tempo e ao chegar em casa fizemos esse comentário. "São marrãos, senhor", disse Cesário, que estava presente; "nestes últimos dias julguei ver já bem tarde da noite uma fumaça subindo lá na mata. Mas era difícil perceber porque havia nevoeiro e estava escuro."

Você bem pode calcular o nosso susto quando responderam à minha pergunta: – Que são marrãos?

– Oh! É preciso muito cuidado com eles! Nunca mais se afastem assim sozinhas para tão longe da casa. Marrão é preto fugido vivendo pelas matas como selvagem embrutecido, matando e roubando tudo o que pode na vizinhança. Raramente plantam um pouco de feijão ou de milho para alimentar-se: preferem roubar tudo o de que precisam e são mais temíveis que os índios. Nos últimos tempos vão-se juntando a estes os negros libertos e vadios que não querem trabalhar. Esses bandos representam uma praga terrível para o Brasil e seriam ainda mais perigosos se não fossem dizimados pela vida errante que levam e tivessem possibilidade de se reproduzir; as mulheres raramente os acompanham e assim temos esperança de vê-los extintos dentro de uma geração.

De hoje em diante não terei mais coragem senão para rodar em volta da casa, porque esses "marrãos" tiraram por completo a tranquilidade dos nossos passeios.

Aliás, obedecendo-se a uma impressão global, verifica-se que a gente preta é um peso para o Brasil, formando a escravidão uma verdadeira chaga, ainda pior para os senhores do que para os próprios escravos; e isso mais se nota atualmente, nas vésperas de ser extinta. Só Deus sabe o que irá acontecer a esses milhões de pretos que vivem aqui! Na Alemanha ignoram-se quase totalmente as condições internas do país e muita gente imagina (eu também julgaria dessa forma se estivesse aí) que, depois de libertos, a maioria dos pretos continuará nas fazendas de seus atuais proprietários, trabalhando como pessoas livres e remuneradas, tendo aprendido na luta pela vida a se tornar úteis e competentes. Mas aqui, percebe-se ser outra a questão. Não é possível uma comparação com as condições norte-americanas: em primeiro lugar, os pretos daqui não têm um modelo de competência, como lá. O norte-americano respeita o trabalho e o trabalhador: ele próprio assume a direção dos trabalhos e toma parte em qualquer serviço, sem nenhum constrangimento, e se despreza o preto é apenas por julgá-lo inferior. O brasileiro, menos perspicaz e também mais orgulhoso, embora menos culto, despreza o trabalho e o trabalhador. Ele próprio não se dedica ao trabalho, se o pode evitar, e encara a desocupação como um privilégio das criaturas livres. Como esperar que o escravo, criado em animalesca ignorância mas dentro dessa ordem de ideias, seja capaz de adquirir outras por si, formando sua própria filosofia? Ele imita servilmente o branco e trabalha o menos que pode; aqui, no próprio local e diante da amenidade desta natureza, é que se pode avaliar quanto é diminuto o esforço dessa gente de inacreditável indolência. Depois que aqui estou, tomei sem dúvida muito maior interesse do que antigamente por essas questões; leio muito sobre esses assuntos e verifico, então, que certos especialistas dos trópicos chegaram às mesmas conclusões que se impuseram a mim.

Em seus escritos, diz Smarda as mesmas coisas que acabo de afirmar: "Nos trópicos ninguém trabalha com prazer. Por que haveriam de fazê-lo os pretos, tão pouco exigentes para si?"

Lewes escreve: "A fome é a verdadeira chama da vida da qual provém todo o estímulo para o trabalho e a atividade; olhando-se em qualquer direção encontramos nela a força motriz que impulsiona a corrente incomensurável da iniciativa e das criações humanas." Isso condiz exatamente com as condições que se observam aqui: as necessidades existem, mas há imensas facilidades também e a *Ehrgeiz* ou *Erwerbssin** que despertaria o estímulo individual, salvo

---

* Ambas as palavras significam "ambição".

raras exceções, está longe das cogitações do cativo e até mesmo do liberto: como poderão eles orientar melhor seus filhos criados na mais completa ociosidade? E o brilhante Fernando Schmidt (Dranmore), observador das condições brasileiras há quarenta anos, diz num dos seus artigos: "Para nenhuma criatura humana, o trabalho do campo parece tão odioso como para o negro liberto." Aqui, não se pode exclamar como nos Estados Unidos: "Quando o sol estiver queimando o alto de tua cabeça, conquista lutando, com o suor de teu rosto, aquilo que cobrirá a nudez de teu corpo durante o tempo em que a gélida nevada se estender sobre a terra"; neste abençoado Brasil, nas regiões onde no momento os artigos tropicais de comércio são obtidos somente à custa do trabalho escravo, o africano mostra-se superior a nós, no sentido de saber entregar-se ao gozo da vida ociosa, obedecendo às suas tendências, porque está ciente de que mais tarde, quando se livrar da escravidão, não terá necessidade de lutar demais pelo seu pão de cada dia. Não se pode esperar, portanto, nenhuma regeneração moral.

No Brasil, está acontecendo o mesmo que se deu na Jamaica, segundo uma velha informação do *Economiste Français*, que me veio parar às mãos, noutro dia; diz esse jornal: "Não se contando o levantamento do imposto diferencial, foi principalmente a emancipação dos escravos que aniquilou a prosperidade da ex-florescente possessão inglesa da Jamaica. Os pretos entregaram-se à vadiagem e ainda hoje não ganham para seu sustento; nas plantações, a ilha tem necessidade de empregar cem mil *coolies**."

---

* Termo pejorativo usado para se referir a asiáticos que fazem trabalho braçal.

Segundo o que venho observando, tenho a impressão de que o Brasil, logo de início, irá sofrer horrivelmente com a abolição da escravatura, porque ainda não se decidiram aqui pela emigração europeia, nem ofereceram aos mais úteis emigrantes – os germânicos – condições bastante favoráveis. Sofrerá por dois motivos: primeiro pela extinção das forças trabalhadoras nos campos e em seguida pela repentina invasão de suas cidades por elementos nocivos, ou, na melhor das hipóteses, inúteis.

Desde já, pode-se prever o que o Brasil deve esperar de seus cidadãos pretos libertos, nestas duas primeiras gerações pelo menos. Dos homens, apenas uma parcela ínfima permanecerá nos campos, como trabalhadores agrícolas; até agora, entre eles todos, apenas uma pequena porcentagem ali se tornou membro da sociedade livre – apesar de não se mostrarem indivíduos muito produtivos, também não são perturbadores ou prejudicais. Mas não se pode contar com a população preta para um esforço de trabalho criador que sobrepuje suas modestíssimas necessidades; nem se deve cogitar de forma alguma dum impulso que indiretamente venha a favorecer o país nestes próximos decênios, quer na questão da agricultura quer na da indústria.

A respeito da condição dos velhos libertos e gastos, já lhe contei que muitas vezes ficam na maior miséria; li certa vez que uma preta velha na noite seguinte à de sua liberdade, pereceu enregelada, por falta de abrigo, num lugarejo montanhoso. É incontável a quantidade de mendigos de ambos os sexos com a qual a emancipação brindou as cidades. Não sei se foi por ironia própria que a polícia de

São Paulo se lembrou de numerar os de lá. As mulheres mais moças, principalmente as mulatas, são em sua maior parte moralmente perdidas, e sem dúvida alguma não irão procurar trabalho enquanto puderem viver de outra forma. As mais velhas vegetam como parasitas: comem hoje em casa dos antigos senhores, amanhã em casa dos pais destes, uma vez na cozinha em companhia de escravas amigas, outra vez arranjam uma combinação barata, alimentando-se de pão com bananas. Quem já viu o leito em que dorme uma preta sabe que em qualquer parte ele pode ser instalado: uma esteira e um pano para cobrir a cabeça são sempre encontrados sem dificuldade. O pouco dinheiro de que precisam ganham geralmente lavando e costurando, mas a maior parte das vezes vendendo frutas e doces pelas ruas. Nem por sombras, porém, podemos considerar seu trabalho como atividade regular e fatigante. Mesmo quando aceitam um emprego, sua principal preocupação é a de trocá-lo seguidamente.

Apesar de tudo, existe ainda (1882) mais ou menos um milhão de escravos no Brasil: quando todos eles estiverem livres, em que condições irão encontrar-se? E isso não está longe, porque a emancipação se aproxima a passos largos. O fundo estadual é de todo insuficiente, mas as associações provinciais auxiliam, e inúmeros escravos tornam-se livres pela iniciativa privada.

Um parente muito rico do Sr. de Sousa libertou todos os seus pretos, que eram cerca de trezentos, e substituiu-os à custa de enormes despesas por colonos da Suíça e do Tirol. Este não é um caso isolado. Entre esses corajosos senhores encontram-se alguns nomes alemães. Atualmente, tornou-se hábito aqui, nas comemorações familiares, demonstrar satisfação libertando-se um ou dois escravos; no nascimento de uma criança, no feliz regresso de um filho educado na Europa, depois de uma boa colheita ou especulação rendosa, muitos escravos recebem sua "carta de alforria". Quando Bento, o irmão de Maricota, voltar de Cassei, Cesário, o *fac-totum* daqui, vai receber a sua, contaram-me há dias, confidencialmente.

Uma porção de escravos torna-se livre por disposição testamentária: porém, os senhores que fazem tais testamentos têm o cuidado de conservá-los secretos com receio de serem envenenados.

Muitas pessoas sós chegam até a transformar seus escravos em herdeiros automaticamente livres de suas fazendas. Mas parece-me que esta forma de humanismo é bastante inconveniente, porque em geral, nessas condições, depois de pouco tempo os pretos se veem proprietários de regiões inóspitas, que abandonam pela vida ociosa das cidades, muito mais de acordo com seus gostos do que uma existência ativa e ordenada. Por isso, agiu muito bem uma senhora de Minas Gerais, falecida recentemente, quando determinou que uma das suas fazendas ficasse em usufruto durante um certo número de anos, para os seus 32 pretos que seriam libertados, passando depois para duas instituições de caridade.

Mas o caso mais *éclatant** de humanismo que se torna prejudicial quando não criterioso, contou-me outro dia D.

---

* "Brilhante."

Maria Luísa: uma preta velha que há tempos lhe pertencera veio visitá-la para desabafar os seus aborrecimentos. Depois da morte de sua última senhora, tornara-se também coerdeira da fazenda, descrevendo, então, a horrível confusão lá existente. Alguns escravos e atuais proprietários plantavam e colhiam; os preguiçosos, porém, pretendiam viver em comum à custa do trabalho dos outros, o que não lhes era permitido, naturalmente. Por esse motivo, as lutas sangrentas eram constantes, nas quais quase a metade dos pretos já perdera a vida, "de modo que", concluiu a preta compenetrada, "o nosso dono não nos fez um bem deixando para nós a fazenda e por isso mesmo foi para o inferno". Esse prognóstico parece-me cruel demais em relação ao barão dos escravos e seu bem-intencionado testamento; mas, de fato, parece-me uma grande falta de critério fazer-se, sem transição, de um escravo um senhor, tornando-o independente, quando foi criado irresponsável. Tudo isso obriga-nos a raciocinar, não é? A situação parece agradável e estável; pois garanto-lhe, Grete, que não desejaria estar agora numa grande fazenda com escravos.

Mas você já deve estar farta de pretos cativos, e Albertina veio buscar-me para ir apreciar a maior cana jamais vista.

Adieu, meu coração; escreva-me em tempo para o Natal, pois suas cartas devem ser expedidas na próxima semana. Vocês já pensaram nisto?

Sua velha Ulla

São Sebastião, 5 de dezembro de 1882

Minha querida Grete,

A cana mais alta que jamais foi vista está num canto da "veranda". A apresentação solene da cana mais longa equivale aqui ao que se considera, em nossa terra, como a festa de encerramento da colheita. Tudo está pegajoso porque a colheita está no auge. E isso é detestável. As crianças mastigam cana o dia inteiro, às vezes descascada e cortada em pedacinhos: mas geralmente chupam tanto quanto a casca o permite, cuspindo o bagaço em volta de si. Nos últimos dias não se veem os negrinhos senão com pedaços de cana na boca; e sobre a potência de suas possibilidades mastigatórias somente a pequena capacidade de seus órgãos de trituração nos pode tranquilizar. Já se passou o período da cana crua e entramos no reinado do xarope, progresso bastante duvidoso.

Ontem, montaram a máquina para moer e espremer a cana e hoje de manhã, antes da primeira refeição, as crianças trouxeram-me triunfantes um copo de suco de cana retirado depois que ela é esmagada. É um caldo verde, relativamente claro e ralo como água, não tendo, por mais estranho que pareça, o gosto tão enjoativamente doce como era de recear. Pequenos e grandes consomem-no aos litros!

Este suco escorre dentro de uns tubos até os grandes tachos onde é fervido e engrossado para formar o "melado", cujo gosto, um pouco mais apurado, corresponde ao do nosso xarope. Hoje ao meio-dia iniciou-se a era do "melado", que já foi servido ao almoço acompanhado de canjica (milho cozido); depois disso, as crianças tiveram de trocar de roupa duas vezes. Todos regalam-se durante a colheita, até, ou acima de todos, os porcos, que aproveitam o bagaço da cana e estão engordando à vista d'olhos.

Toda a atmosfera em volta da fazenda está impregnada desse cheiro nada desagradável de suco de cana cozido. Quando o melado está bem grosso, é colocado em grandes formas de madeira até açucarar, e para que isso se realize mais rapidamente é coberto com estrume de gado! Pelo menos é esse o método adotado pelos pequenos sitiantes, como me contou D. Maria Luísa; felizmente, aqui, para o mesmo fim, usa-se uma qualidade de barro espesso que existe na fazenda.

Aliás no Brasil, somente o Estado é que possui instalações adequadas a esse trabalho feito em grande escala; nas usinas estaduais o maquinário é muito mais moderno. Os fazendeiros apenas plantam o necessário para o consumo próprio; e os que fazem o plantio em maiores proporções, em geral, vendem a cana bruta ao Estado.

Dia 11 – Entramos em nova fase do açúcar: o melado transformou-se em pó amarelado e forma montinhos de cor clara em cima das esteiras, para secar. Grete, sabe qual é a minha maior satisfação diante de tudo isto? A de não estar todo o tempo presente, pois, caso contrário, não seria mais capaz de comer qualquer coisa adocicada. Dos incontáveis mosquitos, moscas, vespas, abelhas e formigas nem é bom falar; todos eles vêm buscar o seu quinhão nos montes de açúcar; e como essas montanhas doces não são vigiadas nem protegidas, os gatos e cachorros também costumam visitá-las para garantir sua parte nesses prazeres açucarados de São Sebastião. Este primeiro açúcar ainda bastante escuro é distribuído aos pretos para seu café, mas desconfio muito de que também entra em contrabando aqui na nossa cozinha. O outro, destinado aos patrões, é refinado na fazenda pelos métodos mais primitivos e reservado somente para o consumo da família; nunca fica porém completamente branco, qualidade essa de açúcar que nenhum brasileiro provará nem mesmo vivendo ainda longos anos. Os pães ou torrões de açúcar não são conhecidos aqui, nem mesmo nas casas mais ricas; outro dia as crianças divertiram-se a valer quando, no seu livro de francês, encontraram a expressão "pedaço de açúcar", tomando isso como um *lapsus* literário. Sabe, Grete, acho que podemos orgulhar-nos do nosso país de beterrabas – aí as coisas são um pouco mais apetitosas. Inclua isso no tal "copo de Bowle" – a Alemanha – e sua beterraba!

Sua Ulla

São Sebastião, 18 de dezembro de 1882

Gretele: imagine que no Natal irei a São Paulo, a convite dos Schaumanns; seguirei dia 22. Não consigo disfarçar minha grande felicidade! Como vai ser diferente do ano passado! Vou rever todas as pessoas queridas, os Schaumanns, e acima deles todos Fräulein Meyer, a pequena Harras e... e... todos! *Ach*, Grete, sou a sua felicíssima

Ulla!

São Paulo, 28 de dezembro de 1882

Minha Grete única,

Que lindo Natal entre gente alemã, canções alemãs, bolos de festa alemães! É pena que o sol tropical brilhe e chamusque, parecendo querer vingar-se de nós por havermos mergulhado nos usos e costumes de nossa pátria nórdica. As bananeiras lá fora parecem resmungar descontentes e as palmeiras sacodem a cabeça como se dissessem: "Pode-se lá pensar em pinheiros sombrios, na nossa presença?" Mas, apesar de tudo isso, sinto como Dranmore: "um único pinheiro coberto de neve"... essa evocação perseguia-me o dia inteiro porque faltava a árvore de Natal, embora tudo apresentasse um ar festivo e não tivessem esquecido de oferecer um mimo também à hóspede da casa. De quanta poesia se acha impregnada uma dessas árvores! Meu irmão dizia sempre que não se sentia à vontade durante o Natal, enquanto não via, enfeitando o soalho, várias manchas de cera e enquanto não sentia pelas salas o cheiro de pinheiro chamuscado. Mesmo antes dessas suas irônicas palavras eu já tinha percebido que ele compreendia essa doce poesia do Natal, embora procurasse disfarçar; mas somente agora vejo quanto ele tinha razão ao procurar avidamente, pelas salas, o aroma do Natal!

E mesmo lá fora – *ach*, Grete – quanto é mais bela uma praça em Berlim, alva, coberta de neve, com sua longas filas de pinheiros, do que este jardim tropical inundado de sol, com suas rosas e palmeiras!...

Realmente estou sendo ingrata, pois são todos tão gentis comigo e o país é lindo como um conto de fadas; mas não posso modificar-me e não me sai da cabeça uma canção que cantamos há dias:

> É muito belo um país estranho
> Mas nunca se tornará uma pátria...

Fui ontem visitar uma professora que tem um piano na sala de aulas e possui um álbum de canções populares alemãs. Éramos ao todo seis moças alemãs e cantávamos todas as canções conhecidas: até hoje ainda estou rouca. Saúde por mim minha linda Alemanha e suas alegres canções!

À noite – 29 –, acabo de chegar da casa de uma família inglesa que conheci nos tempos dos meus antigos "romanos" e que me havia convidado para um Christmas-pudding.* Mr. Hall é muito amigo dos Emersons e estava lá; depois, acompanhou-me até à casa. Mas não posso entender o que se passou com ele desde a viagem que fizemos juntos para Santos; no caminho para casa, não pronunciou uma única palavra, de maneira que viemos completamente mudos um ao lado do outro, pois eu também não disse nada.

---

* Bolo de Natal com frutas secas.

Em frente ao portão, pareceu-me ainda mais estranho. Primeiro segurou minha mão durante algum tempo e olhou-me (realmente, seus olhos azuis são fascinantes) como se quisesse dizer qualquer coisa; depois deixou-a, exclamou um rápido *"good night"* e mostrou-se tão mal-educado que disparou antes mesmo que eu tivesse aberto a porta. Que pensa de tudo isso? Que devo concluir? Ter-se-ia ofendido porque não falei durante a volta? Mas acho que lhe competia iniciar a conversa e, para dizer a verdade, eu não sabia o que dizer, Grete. Foi cômico: eu, que às vezes falo pelos cotovelos, não podia encontrar nenhum assunto e tudo o que me ocorria eram bobagens. Bem: não se pensa mais nisso, porque esse caso é-me completamente indiferente.

Amanhã deveria acompanhar os Emersons ao depósito das máquinas, onde Mr. Hall prometeu mostrar-nos certas coisas curiosas. Agora resolvi não ir mais lá; irei visitar os meus "clássicos antigos" onde encontrarei provavelmente apenas as "patrícias" menores; as grandes, com certeza, continuam nos colégios – os brasileiros não dão importância ao Natal.

Adieu por hoje, minha Grete.

Sua Ulla

P.S. **Dia 30 de manhã.** Neste momento, o Correio acaba de trazer de Santos um convite para o baile de São Silvestre no Germânia de lá, dirigido a "Fräulein" Schaumann, irmão e "hóspede". Esta última sou eu; assim, não ficará desperdiçada a viagem do vestido de seda azul de São Sebastião até São Paulo. Acho graça ter ocasião de ir a um baile aqui e principalmente a um baile alemão. Só que vai fazer muito calor!

Santos, 2 de janeiro de 1883

Querida Grete!

Fui ao baile e o vestido azul-claro também foi. Dançamos muito, mas a poeira e o calor eram excessivos na sala pequena. Que mais lhe poderei contar além disso? Você conhece o ambiente de um baile? Aliás, é um prazer infantil, **você não acha, Grete? No fundo, me aborreci.**

Pensei que houvesse muitos convidados de São Paulo, mas, além de nós, só apareceu um único comerciante alemão. *Ach*, Grete! Certos divertimentos da mocidade são bastante tolos! Agora vou tornar-me mais ajuizada e encaixar-me pouco a pouco entre as velhas solteironas. **É a única coisa acertada.**

Como vai você? Espero que esteja **melhor que a**

sua Ulla

Aliás, é preciso confessar que nada me falta.

São Sebastião, 9 de janeiro de 1883

Grete do coração! – ele esteve aqui! Mr. Hall!

O Sr. de Sousa comprou máquinas novas e ele foi tão consciencioso que veio fiscalizar pessoalmente a montagem. Fiquei tão surpreendida e assustada! Mas preciso contar toda essa história, que é muito engraçada. Não se admire de uma melancia representar um papel tão importante no meu caso: ela o merece.

Quando cheguei à estação de Santa Bárbara, na volta de São Paulo, Cesário já lá se achava com seu carro. Gostaria mais de vir a cavalo, mas como havia bagagem o carro era indispensável. Santa Bárbara é famosa pelas suas magníficas melancias, cultivadas pelos colonos norte-americanos; e como dispunha de uma condução, comprei a maior que pude encontrar. – Esta deve pesar bem suas 12 a 15 libras – disse, sorrindo, o rapaz que a vendeu, ao levá-la até o carro.

– Então, Cesário – exclamei, contente, com a minha ótima compra. – Onde iremos acomodar este gracioso objeto? É para as crianças.

Cesário coçou a lã negra na cabeça.

– Hum, senhora; não há lugar.

– Como? – reclamei – no carro inteiro não há lugar para uma melancia? E na caixa, aqui embaixo do assento?

– Lá dentro tem a sua malinha de mão, carne da vila, um pouco de pão branco e não cabe mais nada.

– Então leve a melancia na boleia.

– Sim, senhora, com muito gosto, senhora, mas ela vai cair porque tenho as quatro mulas e um chicote.

– Então irá pomposamente ao meu lado, no banco, decidi, quando verifiquei que, de fato, não havia outro lugar no carro para aquela linda fruta.

O pequeno veículo aberto estava parado sobre a grama maltratada, nos fundos do edifício da estação; para livrá-lo dos altos e baixos ali existentes, não foram poucas as dificuldades. Mas Cesário sabia lidar com seus animais.

Conhece uma quantidade surpreendente de exclamações animadoras e sabe ilustrá-las com grande habilidade, servindo-se no momento oportuno de rápidos golpes de chicote. Finalmente as mulas se decidiram a partir e arrancaram.

"Ho! ho!", gritei nesse momento, porque a melancia tinha pulado para fora do trole. Tudo o que pudera fazer ante a repentina explosão de energia das mulas fora segurar meu chapéu na cabeça, apanhar o meu guarda-chuva que despencava pelo carro afora e manter-me ali dentro, o que consegui a custo das mais complicadas artes equilibrísticas.

– Pare, Cesário! Minha melancia!

Por sorte ela ali se achava ilesa, numa das escavações do gramado acidentado. Cesário desceu da boleia e trouxe-a de volta. "Esse negócio não vai bem!", comentou rindo-se e olhando meio desconfiado para a fruta. Mas eu continuei decidida: "Oh! Agora vou segurá-la melhor." E Cesário subiu de novo.

Toda a série de amabilidades, ameaças e encorajamentos para as mulas foi repetida! E quando elas resolveram enfim tomar uma decisão, tiraram felizmente o carro com seu conteúdo completo, inclusive guarda-chuva e melancia, daquele gramado fatal.

Havia porém sob a barreira levadiça, que fecha o terreiro da estação, uma funda poça d'água que pôs a fruta novamente em perigo, mas desta vez ainda a salvei porque, abnegadamente, lhe dediquei minhas duas mãos, abandonando o lado direito do meu vestido de chita à ação das rodas borrifadoras. Dali por diante o caminho apresentava-se desimpedido diante de nós; experimentei então segurar apenas com uma das mãos a grande esfera verde e tudo parecia correr a contento, mas eu começava a julgar muito duvidoso aquele prazer de amparar tão volumosa peça durante quatro horas! Desejava ao menos abrir meu guarda-chuva, pois não via necessidade de me queimar como um mouro por causa da estúpida melancia. Grete, ainda me vejo afrouxando pouco a pouco a força com que a mantinha, retirando cautelosamente a mão, e seguindo com atenção os sacolejos da almanjarra que trepidava sempre sob meus dedos apertados. Mas ia tudo bem. Achei que poderia abandoná-la por uns momentos.

O guarda-chuva foi aberto e a melancia ficou entregue à sua própria sorte – como me senti aliviada! Era só continuar a vigiá-la, de vez em quando... uma espiadela – tudo em ordem.

Não teria escorregado para a frente? Outra olhadela – não; continuava no mesmo lugar.

Mas... poderá escapar-se pelo lado – terceiro olhar! *Ach*! Por ali é que nunca conseguirá escapulir-se.

A paisagem da região que atravessávamos ia-se tornando muito linda: sobre a colina ondulante destacavam-se as palmeiras pitorescamente recortadas contra o céu meridional – uma volta inesperada para a esquerda e diante de nós se apresenta uma coloniazinha, o gado pastando... Santo Deus! E a melancia? Não há nada; continua no mesmo lugar.

Você bem pode fazer uma ideia da minha preocupação constante com essa coisa importuna; além disso, achava insuportável estar todo o tempo virando a cabeça para cá e para lá. Preferi segurá-la de novo.

Por fim, alcançamos uma certa curva minha conhecida – depois da qual a estrada começa a subir suavemente durante uma grande extensão do caminho. Hurrah! Agora tinha livres outra vez as duas mãos. Aqui não pode escapar – pensei, radiante; e creio mesmo que sorri, vitoriosa, olhando para minha escorregadia e indomável verduga. Mas, Grete, nos meus cálculos não entravam os imprevistos, representados, nesse caso, por aquela fruta audaciosamente adquirida. Esse trambolho ocultava as ideias mais pérfidas jamais vistas numa melancia. Não podendo escorregar para a frente, começou então a acompanhar em cadência o leve trote das mulas e a bater em cheio contra um dos braços do assento, com intervalos de trinta segundos, com tal regularidade que não podia ser ignorada, nem mesmo vencê-la pela resistência passiva.

Estava revoltada contra a melancia, contra mim e contra o rapaz que todo sorridente a vendera, ainda por cima avaliando seu peso em 12 a 15 libras, como se já estivesse prevendo o mau comportamento daquela marmanjona. Uma tentativa de aconchegá-la ao meu colo não deu resultado, devido a uma série de golpes que ela desferiu na minha região estomacal; pela astúcia, era impossível obter-se qualquer vantagem contra aquela diabólica melancia, cheia de subterfúgios.

Uma expressão de revolta um pouco viva, lançada por mim, fez com que o Cesário me aconselhasse a acomodá-la no chão do carro, segurando-a com os pés. Isso pareceu-me uma ideia brilhante. Mas também não adiantou nada. A fruta pesadona fugia dos meus pés para a frente e, quando os firmei com raiva e energia, a coisa abominável e lisa resvalou para um dos lados; precisei executar de novo diversas acrobacias para evitar que se atirasse embaixo das rodas. Por uns segundos cintilou-me a ideia do alívio que teria se me visse livre dela; mas depois decidi: "Não!, agora é que não!", de novo calquei a melancia em posição vertical, sob meus pés. Por alguns instantes correu tudo tão bem que já me considerava vitoriosa; mas foi quando o Cesário resolveu enfiar uma das rodas no atoleiro, enquanto a outra ficava lá por cima. É: não valia a pena lutar. Com os lábios cerrados pela obstinação, procurei o apoio dos braços, agarrando-me com força e obrigando a melancia a ficar no seu lugar. Mas, Grete, contra a impetuosidade de uma fruta que pesa 15 libras e está resolvida a impor sua vontade, nada se pode fazer, escorregaram pé e melancia e, antes que me pudesse refazer do susto, lá se achava o traiçoeiro trambolho com seu ar irritantemente plácido, esparramado na poeira do caminho. Cesário já tinha parado e me entregou a fruta incólume, com o mesmo sorriso embaraçado da outra vez, enquanto em alemão eu descarregava todo o meu rancor contra ela. Mas se já me atormentara durante tanto tempo por causa de um vegetal estúpido, seria uma tolice desistir à última hora. Ofereci de novo à melancia seu lugar no carro ao meu lado e continuei maldizendo minha mão esquerda por estar impedindo que ela realizasse suas tentativas de fuga.

O carro seguiu viagem.

O sol já se escondera atrás das nuvens e a chuva começou a cair em gotas esparsas e hesitantes. Confesso, Gretele, que àquela altura me sentia tão nervosa e aborrecida que dei um soco na melancia, como se fosse também responsável por mais esse contratempo, acompanhando-o com a exclamação desesperada: "Além do mais não tenho nem impermeável!" Nada disso porém desconcertava a fruta desalmada que continuava nos seus pinotes. Cesário murmurou um gago "sim, senhora", respondendo *au hasard** à interpretação alemã.

---

* "Ao acaso."

A chuva engrossava e o meu *en-tout-cas** aberto de novo era como um beiral que desaguasse sobre meus ombros, chapéu e gola, inundando-os a cada solavanco do trole. Para completar, a eterna melancia ali se achava como um disforme objeto enlameado sobre o qual a minha luva clara deslizava constantemente, tomando uma cor indefinível. Chegava a ponto de chorar de raiva. Francamente indignada, contemplava a imensa bola indomável pensando se continuaria ainda a suportar suas variadas chicanas durante o resto do caminho ou se a jogaria para fora definitivamente. Um repentino e violento solavanco trazendo a dita fruta para meu lado num choque brutal decidiu a questão. O inútil guarda-chuva foi energicamente fechado e com ambas as mãos agarrei a melancia abominável para atirá-la bem longe.

"Que vai fazer com essa linda melancia?" – indagou uma voz em inglês, nesse mesmo instante, atrás de mim. Virando-me, dei com um cavaleiro... Grete, se pudesse ter-me-ia afundado pela terra abaixo, de tanta vergonha. Era Mr. Hall, e eu naquele estado deplorável! O vestido salpicado de lama e completamente encharcado, as luvas sujas, o rosto congestionado de raiva, tudo por causa daquela bola verde; fiquei petrificada de susto e, pode crer, desejava que ele estivesse a mil milhas de distância em vez de encontrar-se ao meu lado naquele momento. No seu cavalo, ia lentamente acompanhando nosso carro, enquanto vermelha e embaraçada eu olhava para a melancia

---

* "Guarda-chuva."

que tinha nas mãos. – "*Well*" – fez ele sorrindo. Encarei-o afinal e então desatamos a rir, todos os dois.

– Não podia aguentar mais – disse-lhe, mas não sei por que, comecei a demonstrar renovado interesse por aquele trambolho incômodo.

– Dê cá – disse Mr. Hall –, vou levá-la neste resto de caminho.

– Sim? Mas de que jeito?

– Dentro de uma sacola que ficará presa na sela; olhe, assim.

– Oh! muito obrigada.

Grete, estava tão desgrenhada que fiquei satisfeita de já nos acharmos perto de São Sebastião. Mas de onde viria e para onde iria Mr. Hall?

Tinha uma vontade louca de saber mas não me atrevia a perguntar. Aliás, falamos muito pouco, mas alguma coisa me dizia que ele ia a São Sebastião.

Chegamos a um atalho onde afinal eu poderia perceber. "Não se desvie por minha causa", pedi-lhe. Tinha arquitetado tão bem esse plano, Grete, que nunca imaginei ser apanhada. Mas sua expressão era tão divertida ao ouvir essa recomendação que fiquei roxa de vergonha!

– Estou indo na minha direção – respondeu Mr. Hall sorrindo.

– Então vai também...

–... a São Sebastião, exatamente como a senhora, e venho da fazenda Santa Catarina.

– Mas...

Ele parecia divertir-se em despertar minha curiosidade sobre o motivo de sua viagem a São Sebastão, mas finalmente falou sobre as máquinas. Assim, fomos juntos até a fazenda. Você bem pode imaginar que os Sousas ficaram muito admirados ao saber que já nos conhecíamos bem – isto é, regularmente.

Demorou-se um dia só, mas desta vez parece que minha sina era a de me comportar tolamente; que estará ele pensando a meu respeito?

À noitinha, quando resolveu partir, veio despedir-se de mim na sala de aulas, onde estava cantando sozinha. Levantei-me do piano e estendi-lhe a mão. Ele prendeu-a na sua como naquela noite em São Paulo e olhou-me também como da outra vez. Balbuciou porém qualquer coisa, não foi muito – somente "Ulla". Mas Grete, tive a impressão de nunca ter ouvido antes meu nome. Por um momento senti-me confusa e perturbada, mas depois – como um ganso estúpido e malcriado – afastei-me apressada e não reapareci senão depois de sua partida. Serei eternamente uma criança?

Sua Ulla, malcriada

Ele me disse também que os Emersons iam convidar-me logo para ir a um baile. Fiquei muito satisfeita com essa notícia – um baile é uma diversão encantadora, você não é da mesma opinião?
Céus, que estará ele pensando de mim?!

*

*

São Paulo, janeiro 1883
Ulla von Eck
George Hall

          noivos

Doce Grete! Estava no baile!
Sempre adorei os bailes.
Agora não escreverei mais a vocês.
Breve aí estaremos –
sua mais que feliz

                            Ulla Hall

Como é engraçado de se ouvir!

Nota da editora

Sobre as edições de *Os meus romanos* no Brasil

Publicado originalmente na Alemanha em 1883,* *Os meus romanos* foi apresentado ao público brasileiro 73 anos depois, em 1955, na revista *Anhembi*,** com textos introdutórios do editor, Paulo Duarte, e de João Fernando [Yan] de Almeida Prado.*** Apenas em 1956 foi publicado como livro, pela editora Anhembi, também dirigida por Duarte, que a seu texto acresceu nota, na qual divide com os leitores descobertas sobre as cartas alemãs. Essa versão pode ser lida nas páginas a seguir, no "Prefácio à 1ª edição brasileira".

Além de editor, jurista, arqueólogo, jornalista e escritor, Paulo Duarte foi grande incentivador da Sociologia e da universidade

---

* Na Biblioteca Brasiliana Guita e José Mindlin pode ser encontrado um exemplar da primeira edição alemã, de 1883, 226 pp., formato: 19 x 12,5 cm.
** A revista circulou mensalmente de 1950 a 1962, sempre dirigida por seu fundador, Paulo Duarte. O término da publicação coincidiu com a entrada de Paulo Duarte na Universidade de São Paulo.
*** João Fernando (Yan) de Almeida Prado, "Alegrias e pesares de uma educadora alemã no Brasil", in: _____, *O Brasil e o colonialismo europeu*, São Paulo, Companhia Editora Nacional, 1953, pp. 227-241, disponível em <http://www.brasiliana.com.br/obras/o-brasil-e-o-colonialismo-europeu/pagina/227>, acesso em 6/9/2017.

brasileiras. Entre outros feitos, encomendou a Roger Bastide e Florestan Fernandes o primeiro estudo sobre raça e preconceito na capital paulistana, intitulado *Brancos e negros em São Paulo*, publicado originalmente na *Anhembi*, antecipando-se à iniciativa da Unesco, que ampliaria a pesquisa nacionalmente. Duarte também participou da fundação da Universidade de São Paulo, na qual ingressou como professor no Instituto de Pré-História em 1962 e de onde foi expulso, em 1969, devido a suas posições políticas contrárias ao Golpe civil-militar de 1964. Foi esse o editor que acolheu a tradução de Alice Rossi e Luizita da Gama Cerqueira, mulheres que ainda são invisíveis no cenário intelectual contemporâneo.

Alice Rossi teria sido cantora, artista plástica e uma das fundadoras da Sociedade Pró-Arte Moderna (Spam), ao lado de, entre outros, Tarsila do Amaral, Mario de Andrade, Olívia Guedes Penteado, Lasar Segall, Menotti del Picchia, Sergio Milliet e João Fernando de Almeida Prado. Foi casada com o pintor, desenhista e arquiteto Paulo Rossi Ossir.

Luizita [Luiza] da Gama Cerqueira [de Carvalho] participou da fundação da Associação Cívica Feminina (ACF), da qual redigia os estatutos, e da Federação Brasileira pelo Progresso Feminino (FBPF). A primeira, fundada em 1932 por mulheres que integravam a elite paulistana, atendia feridos da Revolução Constitucionalista; está ativa ainda hoje, prestando serviços à comunidade. A segunda, organizada por mulheres da elite carioca, funcionou de 1922 a 1937, e tinha como principais pontos o voto feminino, a instrução da mulher, a proteção às mães e à infância e uma legislação reguladora do trabalho feminino. Ambas as organizações tiveram importante atuação que levaram à legalização do voto feminino no país.

A partir de 1980, a Paz e Terra passou a publicar *Os meus romanos* com apresentação de Antonio Callado, mantendo, da primeira edição, o prefácio de Paulo Duarte. Em 1994 foi lançado em edição bilíngue, de 344 pp., já descontinuada. A esses dois textos foi acrescido, na edição de 2017, o prefácio de Keila Grinberg.

Prefácio à 1ª edição brasileira

Paulo Duarte

Este é um dos mais curiosos livros de "brasiliana" publicados no século passado, tão rico de obras interessantes sobre o Brasil. Trata-se de uma edição alemã, de 1880 e tantos, na qual é narrada a vida de uma professora alemã que viveu na fazenda de uma das velhas famílias de São Paulo e em outros lugares daqui e do Rio. O livro jamais foi traduzido para o português, e *Anhembi* o publica pela primeira vez, graças à tradução de Alice Rossi e Luisita da Gama Cerqueira, que prestam este serviço aos estudiosos do Brasil e de Portugal, oferecendo-lhes, em nossa língua, um curiosíssimo depoimento da vida patriarcal do século passado, como aliás diz bem a introdução que acompanha esta tradução, feita por Yan de Almeida Prado, cuja autoridade no assunto não é preciso salientar. Os leitores verão se temos razão ao falar da importância desta "brasiliana".

Não tivemos a reação de Yan de Almeida Prado ao julgar a autora uma alemã soberba, presunçosa e tirânica, uma prussiana ou uma inimiga do Brasil. Ao contrário, ao ler o livro de Ina von

Binzer ou Ulla von Eck, pareceu-nos uma mulher inteligente, espiritual, sensível e culta. As suas atitudes contra o Brasil explicam-se pela psicologia de um expatriado, sempre a mesma, no tempo e no espaço. Há uma perene prevenção no julgamento dos usos e costumes estranhos e até uma instintiva hostilidade contra o país que abriga o refugiado ou o simples imigrante. E essa reação da autora manifesta-se em casos que revoltam até agora muitos brasileiros mais sensíveis ou, se quiserem, mais civilizados. O carnaval, para muitos, é um tormento ainda hoje, e o que não seria quando dominava o entrudo, com as suas laranjinhas ou limões de cheiro, encharcando qualquer transeunte de água e polvilho? O ódio àquela selvageria mais explicável aparece quando o ataque se deu num momento de dor de dente em que a vítima procurava um dentista, e encontrou o entrudo carioca. Igualmente os fogos de São João, impossíveis de serem compreendidos por um estrangeiro, principalmente um estrangeiro educado. Da mesma forma, ao criticar a mania de cuspir que observou nos brasileiros, temos que concordar em que tinha toda razão a jovem professorinha alemã, a quem as escarradeiras de porcelana, enormes, em todas as salas, não podiam mesmo fazer boa impressão. Condenada a dormir numa alcova, absurdo que desapareceu felizmente das casas brasileiras, tinha razão quem habituado ao esporte e ao ar livre se revoltava contra aquelas cafuas escuras e úmidas.

Não conseguimos de maneira alguma ficar revoltados quando lemos esta observação que vale ainda hoje: "Há pessoas da alta direção do Partido Republicano que não conhecem a história nem a constituição do país e muito menos a das outras nações. Há outros que se dizem partidários do sistema filosófico do espiritual Comte, mas não compreendem os seus mais elementares ensinamentos."

E, mais adiante: "Alguns dão opinião sobre línguas estrangeiras, mas não sabem explicar nenhuma regra da sua própria." E a nossa velha simulação de cultura, firme aí ainda hoje em intelectuais de renome, e que a alemãzinha instruída estigmatizava já muito antes do fim do século XIX...

"Os brasileiros não conhecem o bom vinho e não sabem comer", eis outra observação que vale ainda hoje, muito mais precisa e perfeita quando feita há cerca de oitenta anos.

E, depois, Ina von Binzer devia viver atormentada pelas crianças brasileiras, malcriadas e voluntariosas, principalmente em se tratando de crianças ricas. Os paradoxos psicológicos, os erros em que caía muitas vezes querendo julgar a criança de cá pelo padrão europeu nem sempre lhe provocaram remoques e motejos, mas comentário do mais sadio e puro *humour*. Assim é no episódio em que, para castigo, consoante a pedagogia do velho Bormann, alemão até a medula, mandou que as crianças da classe levantassem e sentassem sucessivas vezes. Isso que, na Alemanha, seria uma humilhação, pareceu às crianças brasileiras uma deliciosa brincadeira, recebida com gargalhadas que contrastavam com o desaponto da professora "prussiana". Daí a sua expressão, lembrando também a esquisitice, para ela, da vegetação tropical: "As crianças e as plantas daqui não me entendem."

"Reconheço", escrevia ela, depois desses malogros, com agudo espírito crítico, "ser indispensável adotar-se uma pedagogia aqui, mas deve ela ser brasileira e não alemã, calcada em moldes brasileiros e adaptada ao caráter do povo e às condições de sua vida doméstica". Onde a contínua hostilidade contra o Brasil?

Da mesma forma o *sense of humour*, ante as suas agruras com certos alunos ou alunas, empertigados demais ou endemoninhados demais. Das três mocinhas mais velhas, suas primeiras discípulas, pela maneira espetada com que vinham vestidas ou se sentavam diante da professora, ar senhorial e superior, chamava-as "a Santa Inquisição"... Da mesma forma, ao falar dos filhos de Martinho Prado Júnior, terríveis, rixentos, levados da breca, a ponto de matar um burro dos bondes com fogos de São João, e como tivessem todos nomes ilustres da velha Roma, só se referia aos "romanos" quando os citava em suas cartas. E foi num momento desses que, lembrando novamente do austero pedagogo alemão, de todo inútil diante dos filhos do ardoroso propagandista de São Paulo, ela deixava cair este delicioso comentário: "...quanto ao Bormann [...], ele não tinha preparo para lidar com crianças brasileiras de educação republicana!"

Da mesma forma precisas, adequadas e cheias de espírito são as suas considerações sobre a escravidão, a abolição sem o preparo do negro para a liberdade, as suas consequências sociais: "a gente preta é um peso para o Brasil, formando a escravidão uma verdadeira chaga, ainda pior para os senhores do que para os próprios escravos; e isso mais se nota atualmente, nas vésperas de ser extinta". Havia muitos, inúmeros senhores bons, e estes "quando, por testamento, liberavam negros, guardavam grande segredo para não serem envenenados". Não seriam jamais de uma pessoa totalmente despida de espírito crítico, quando olhava de um modo todo particular a substituição do braço escravo pelo trabalhador livre, estas expressões: "Acho os brasileiros muito inteligentes por estarem se familiarizando aos poucos com o trabalho feito por 'camaradas'."

Os seus desabafos contra a vida no Brasil, que era mesmo muito precária, são sempre fruto da desambientação inicial e também de injustiças que não a pouparam, principalmente naquele colégio do Rio de Janeiro, onde sentia muito mais afinidade do que com qualquer outra com uma colega francesa, "que, apesar da tradicional inimizade, é com quem mais simpatizo nesta casa". Da mesma forma quando se queixava: "O que não daria por uma garrafinha de cerveja, aqui, à noite!" Era a saudade do país natal, com os usos e costumes que eram os seus, uma cultura que era a sua. Como poderia uma jovem alemã, bem-educada, compreender, em 1881, um Natal sem pinheiro e, sobretudo, sem neve? Assim mesmo, quando tem saudades e evoca coisas da Alemanha, para ela naturalmente muito melhores, diz com toda a sinceridade: "Realmente estou sendo ingrata, pois todos são tão gentis comigo e o país é lindo como um conto de fadas; mas não posso modificar-me e não me sai da cabeça uma canção [...]: 'É muito belo um país estranho. Mas nunca se tornará uma pátria...'" E, se não esconde a lembrança amarga que lhe deixaram a casa de um dos brasileiros ricos em que esteve e a escola carioca em que trabalhou, estigmatiza com a mesma seriedade os seus patrícios alemães cheios de prosápia, com os quais teve contato, e não se esquece de salientar a bondade dos que a trataram bem, como aquele Sr. de Sousa, realmente um tipo excelente que deveria ser identificado por um pesquisador caprichoso. E, numa carta de 1882, dizia: "O Brasil é lindo de verdade!"

Ao lado disso, há as qualidades de escritora dessa pequena professora alemã, perdida num Brasil quase selvagem. A força com que ela narra o caso comovedor do preto velho, enfermo, segregado, quase odiado: "infeliz que o destino não poderia ter deserdado mais completamente: negro, escravo e leproso!". Da mesma forma o humorismo sadio e límpido da página final com o episódio da melancia, que faz a gente ficar aborrecida por ter o livro acabado.

Não é apenas um excelente documentário sobre a vida brasileira de há quase cem anos; o livro de Ina von Binzer é também uma excelente obra literária que revela a nosso ver uma criatura sensível, espirituosa e espiritual, que por aqui se perdeu durante alguns anos, quase no fim do século passado. Vale a pena pesquisar sobre o livro. Por quem foi publicado? Por ela mesma? Por Mr. Hall? Algum editor ter-se-ia interessado por ele para publicação à própria custa?

E sobretudo vale a pena uma pesquisa mais pormenorizada sobre o verdadeiro nome das casas em que aqui trabalhou, cuja vida diária esmiúça a autora, sem o querer, mas com deliciosa fidelidade. A única indicação que vem no volume é esta: Berlim, Richard Ekstein Nachfolger, Hammer und Runge, Leipzig. Nem a data da publicação, que deve ser ali por volta de 1884 ou 1885.

Ajudem-nos os leitores nessa pesquisa e teremos prestado um excelente trabalho ao esforço para levantamento da vida brasileira, naquele curioso período de nossa formação.

Nota

Ao serem publicados estes comentários na revista *Anhembi*, quando começou a sair aí *Alegrias e tristezas de uma educadora alemã*, recebeu aquela revista uma carta de Belo Horizonte de um bibliotecário mineiro, que apenas se assinou Heliantho, com algumas informações preciosas sobre o livro de Ina von Binzer. Esse cuidadoso pesquisador, depois de nos ler, realizou uma pesquisa a mais minuciosa que lhe foi possível e, dentre as fontes bibliográficas que consultou, foi dar com uma referência sem comentários em "Historisch Geographischer Katalogfür Brasilien (1500-1908) von Joseph Scherrer".

Esse catálogo foi publicado nos *Anais da Biblioteca Nacional*, v. 35, pp. 314-418 (1913). Eis o verbete que se acha à página 321 daquele volume: "Binzer, I. v. *Leid & Freud einer Erzicherin in Brasilien*, 8.º 152 Seiten, Hamburg, 1887. Verlagsanstalt."

Essa informação destoa da que demos acima, colhida no próprio exemplar que tivemos em mãos. Seria outra edição? De qualquer maneira o catálogo de Scherrer publicado nos Anais da Biblioteca Nacional nos dá uma informação preciosa que é a data 1887. E isso devemos à cooperação desse tão modesto quão dedicado bibliotecário mineiro que nem o próprio nome revelou.

De outro lado, as tradutoras procederam a um inquérito cujos resultados esclarecem muito o meio em que atuou no Brasil a jovem professora. Ulla von Eck ou Ina von Binzer veio para o Brasil em 1881, contratada por uma família do estado do Rio, residente provavelmente nas divisas com São Paulo, e cujo chefe apelidou de "Dr. Rameiro". Grande fazendeiro e senhor de escravos, fora este casado pela primeira vez com uma senhora italiana. Do segundo casamento teve doze filhos, dos quais sete entregues à direção da professora. Não foi possível averiguar o nome exato dessa família, que poderia ser a dos barões de Rameiro, a dos barões de Mauá, ou mesmo a do marquês de Barbacena, cujas fazendas se estendiam pela Baixada Fluminense. De Queluz e Bananal a Barra Mansa, inúmeras mansões senhoriais serviam de residência aos grandes proprietários rurais – espécie de nobreza do campo que raramente frequentava a corte.

O colégio do Rio de Janeiro a que se refere Ina von Binzer parece ser o Lebre-Rouannet ou o Jacobina, únicos estabelecimentos leigos de ensino que, nessa época, recebiam alunas internas. Quando se refere à diretora, Ina von Binzer chama-a de "Madame", o que parece indicar a sua nacionalidade francesa.

Em São Paulo, esteve a professora primeiro em casa do Dr. Martinico Prado (os Costa), a cujos filhos – Caio, Plínio, Lavínia, Cordélia e Clélia – frequentemente se refere. Fábio e Cícero Prado, os mais moços e hoje vivos, completam a série de nomes romanos, mas não eram nascidos, pois Fábio Prado nasceu em 1886 e Cícero Prado três anos depois.

Os Schaumann existiram realmente com esse sobrenome, e eram proprietários da Botica Veado de Ouro, situada na mesma rua São Bento. Uma das moças Schaumann tornou-se senhora Von Bulow pelo casamento.

A segunda família em que Ina von Binzer lecionou em São Paulo foi a dos Sousa, pseudônimo que encobre o nome de Bento Aguiar de Barros, que foi casado com D. Francisca de Sousa Barros, filha de Luís Antônio de Sousa Barros, dignitário da Ordem da Rosa, casado em primeiras núpcias com D. Ilídia Ribeiro de Rezende, filha do marquês de Valença, e pela segunda vez com D. Felicíssima de Campos. D. Francisca (no livro, D. Maria Luísa) teve quatro filhas, Isabel, Maricota, Albertina e Eugênia, e um filho, Luís, que estudou na Alemanha.

A fazenda São Sebastião (no livro) chamava-se realmente São Luís, e ficava nas proximidades de Americana. A outra era a fazenda Bela Vista, em Capivari. Uma velha dama paulista, em idade muito avançada, mas ainda perfeitamente lúcida, pertencente a essa ilustre família – a única que mereceu elogios integrais da professora alemã – assegura que Fräulein Ina, em benefício do pitoresco, forçou um pouco a verdade quando descreveu uma sala de telha-vã e chão de terra batida na fazenda São Luís, e acha que esse pormenor deve ter sido inspirado por outras casas muito mais primitivas que a moradia confortável da fazenda São Luís. Quanto à casa da praia, pertencia à firma Sousa Queiroz e ali se revezava toda a família para as estações de banho de mar. Luís Guilherme, nome verdadeiro, era filho de D. Ilídia de Aguiar Whitaker, irmã de D. Francisca.

Toda parte referente aos costumes brasileiros da época é perfeitamente exata e observada com admirável acuidade por essa moça de 22 anos. Fräulein Binzer casou-se de fato com um engenheiro inglês, representante de máquinas agrícolas, cujo nome verdadeiro não nos foi possível apurar. Qualquer outro esclarecimento sobre o livro de Ina von Binzer, tão curioso nos seus mínimos pormenores e tão fiel à vida brasileira daquela época, será muito bem recebido pelos editores.

Este livro foi composto na tipologia
Minion Pro Regular, em corpo 11/16,
e impresso em papel off-white no
Sistema Cameron da Divisão Gráfica da
Distribuidora Record.